投資家と考える10歳からの お金の話

レオス・キャピタルワークス株式会社
ひふみ金融経済教育ラボ

講談社

投資家と考える10歳からのお金の話

はじめに　――お金《かね》を上手《じょうず》に使《つか》うと未来《みらい》が変《か》わる

あなたの目《め》の前《まえ》に、千円札《せんえんさつ》が1枚《まい》あります。

このお札《さつ》をジロジロ見《み》てみましょう。何《なに》に気《き》がつきますか？

人《ひと》の顔《かお》と数字《すうじ》がかかれていますね。そして、ちょっとシワシワ。前《まえ》に持《も》っていた人《ひと》が折《お》り畳《たた》んでお財布《さいふ》に入《い》れていたみたい。

このお札《さつ》は、さまざまな人《ひと》の手《て》を渡《わた》って、今《いま》、あなたの目《め》の前《まえ》にあるのです。そして、あなたがものを買《か》うと別《べつ》の人《ひと》のもとに行《い》ってしまいます。お金《かね》は何人《なんにん》もの人《ひと》から人《ひと》へ、まるでリレーで手渡《てわた》されたバトンみたいに、世《よ》の中《なか》をグルグルめぐっているのです。

仮《かり》に、あなたがもらったおこづかいを貯金箱《ちょきんばこ》に入《い》れて貯《た》めていたら、お金《かね》はバトンリレーに参加《さんか》できません。そのお金《かね》は世《よ》の中《なか》を循環《じゅんかん》できないのです。

このことを、もう少《すこ》し深《ふか》く考《かんが》えてみましょう。

この本《ほん》では、あなたといっしょに「お金《かね》との付《つ》き合《あ》い方《かた》」について考《かんが》えていきます。

将来《しょうらい》、あなたが働《はたら》いてお金《かね》を稼《かせ》ぎ、自立《じりつ》して生《い》きていくようになるとします。すると、稼《かせ》いだお金《かね》を「有効《ゆうこう》に」使《つか》っていきたいと思《おも》うでしょう。でも、「有効《ゆうこう》に」使《つか》うにはどうしたらいいのでしょうか？

将来《しょうらい》お金《かね》を有効《ゆうこう》に使《つか》うためには、子《こ》どものうちから「お金《かね》を使《つか》う練習《れんしゅう》をすること」「お金《かね》について考《かんが》えること」が必要《ひつよう》です。何《なに》ごともそうであるように、大人《おとな》になったからといって急《きゅう》に「よいお金《かね》との付《つ》き合《あ》い方《かた》」ができるようにはならないのです。

よいお金《かね》の使《つか》い方《かた》をしたり、ときには失敗《しっぱい》したりすることも大事《だいじ》な経験《けいけん》です。「私《わたし》がお金《かね》を使《つか》ったら、誰《だれ》かが喜《よろこ》んでくれた」とうれしく思《おも》うこともあるでしょうし、「こんな使《つか》い方《かた》は、よくなかったな」と反省《はんせい》することもあるでしょう。失敗《しっぱい》から学《まな》ぶことはとっても多《おお》いのです。

そうやっていろんな体験《たいけん》を少《すこ》しずつ積《つ》み上《あ》げていきましょう。将来《しょうらい》、自分《じぶん》の力《ちから》で生《い》きていく力《ちから》をつけるためには、小学生《しょうがくせい》のうちからお金《かね》について理解《りかい》しておくことが、とても大事《だい》なのです。

この本《ほん》は、あなたが「お金《かね》との付《つ》き合《あ》い方《かた》」を考《かんが》えるきっかけになるようにと、私《わたし》たちレオス・キャピタルワークスの5人《にん》のメンバーが協力《きょうりょく》してまとめました。レオス・キャピタルワークスは、主《おも》に日本《にほん》の成長《せいちょう》しそうな企業《きぎょう》を応援《おうえん》する会社《かいしゃ》です。
将来伸《しょうらいの》びそうな会社《かいしゃ》を応援《おうえん》しているうちに、私《わたし》たちは「子《こ》どものうちからお金《かね》との付《つ》き合《あ》い方《かた》を知《し》っていたほうがいいね」と気《き》づくようになりました。そして、子《こ》どもたちにお金《かね》に関《かん》することを伝《つた》えようと相談《そうだん》した5人《にん》のメンバーが「ひふみ金融経済教育《きんゆうけいざいきょういく》ラボ」をつくり、協力《きょうりょく》してこの本《ほん》を書《か》いたのです。だから、この本《ほん》の中《なか》には、あなたに伝《つた》えたい私《わたし》たち5人《にん》の想《おも》いがいっぱい詰《つ》まっています。

さきほど、「お金《かね》を使《つか》うことはバトンリレーすること」とお話《はな》ししました。お金《かね》でものを売《う》ってもらうとか、ものを買《か》うというのは、実《じつ》はすごくドラマチックなことなのです。
なぜなら、お金《かね》には「バトンをつないできた人《ひと》たちの過去《かこ》」が詰《つ》まっていて、ものを買《か》うことで、あなたは「未来《みらい》の可能性《かのうせい》」を得《え》ることができるから。そして、お金《かね》を出《だ》すことで、あなた自身《じしん》や誰《だれ》かの「未来《みらい》の夢《ゆめ》」を応援《おうえん》することになるから。あなたがお金《かね》を上手《じょうず》に使《つか》えば、「未来《みらい》を変《か》えること」だってできるのです。

この本《ほん》は、「基礎編《きそへん》」「中級編《ちゅうきゅうへん》」「上級編《じょうきゅうへん》」の3つの章《しょう》からできています。まずはマンガを通《とお》して読《よ》んでみましょう。「この本《ほん》で取《と》り上《あ》げること」をざっと伝《つた》えてくれます。

そして、「基礎編《きそへん》」を読《よ》めば、世《よ》の中《なか》のお金《かね》の流《なが》れの仕組《しく》みがおおむねわかるようになっています。さらに興味《きょうみ》のある人《ひと》は、「中級編《ちゅうきゅうへん》」を。さらにもっと知《し》りたい人《ひと》は「上級編《じょうきゅうへん》」に進《すす》んでください。将来働《しょうらいはたら》くことについて、考《かんが》える手助《てだす》けになるはずです。

さあ、これから私《わたし》たちと一緒《いっしょ》に「お金《かね》」について考《かんが》えていきましょう。楽《たの》しいイラストが読《よ》み進《すす》めるのを励《はげ》ましてくれますよ。そうしてページをめくっているうちに、「お金《かね》って、面白《おもしろ》いんだ！」と気《き》づいてもらえたらうれしいです。

そして、その「気《き》づき」は、きっと「あなた自身《じしん》の未来《みらい》の夢《ゆめ》」を応援《おうえん》する小《ちい》さな芽《め》になることでしょう。

レオス・キャピタルワークス株式会社《かぶしきがいしゃ》
ひふみ金融経済教育《きんゆうけいざいきょういく》ラボ

目次《もくじ》

2章《しょう》

3章《しょう》

みんなの質問《しつもん》に答《こた》えてくれる先生《せんせい》たち

渡邉《わたなべ》庄《しょう》太《た》さん

東京都出身《とうきょうとしゅっしん》。運用本部長《うんようほんぶちょう》。日本《にほん》のなかで眠《ねむ》っているお金《かね》が、少《すこ》しでも有効《ゆうこう》に活用《かつよう》される社会《しゃかい》をつくりたいと願《ねが》っている。

堅《かた》田《た》雄《ゆう》太《た》さん

高知県出身《こうちけんしゅっしん》。ひふみ営業部長《えいぎょうぶちょう》。「世《よ》の中《なか》の仕組《しく》みを知《し》りたい」という好《こう》奇心《きしん》から、アルバイトとして入《はい》り、大学卒業《だいがくそつぎょう》と同時《どうじ》に入社《にゅうしゃ》。世《よ》の中《なか》をよくするお金《かね》の使《つか》い方《かた》を、娘《むすめ》たちにどう伝《つた》えていくか悩《なや》み中《ちゅう》。

レオス・キャピタルワークス ひふみ金融経済教育《きんゆうけいざいきょういく》ラボ ってどんなところ？

主《おも》に日本《にほん》の成長《せいちょう》しそうな会社《かいしゃ》を応援《おうえん》する仕事《しごと》をしているメンバー５人《にん》が、「みんなに世《よ》の中《なか》のお金《かね》に関《かか》わるしくみ（金融《きんゆう》や経済《けいざい》）を楽《たの》しく知《し》ってもらおう」と、相談《そうだん》しながら活動《かつどう》しているチームなんだ。

藤《ふじ》野《の》英《ひで》人《と》さん

富山県《とやまけん》生《う》まれ。企業《きぎょう》の成長《せいちょう》を応援《おうえん》するファンドマネージャー（投資家《とうしか》）。レオス・キャピタルワークス創業《そうぎょう》者《しゃ》。子《こ》どもたちの教育《きょういく》にも力《ちから》を入《い》れている。趣味《しゅみ》でピアノ、社交《しゃこう》ダンス、テニス、将棋《しょうぎ》などを楽《たの》しむ。

仲《なか》岡《おか》由《ゆ》麗《り》江《え》さん

大阪府出身《おおさかふしゅっしん》。広報部長《こうほうぶちょう》。自分《じぶん》たちの仕事《しごと》や取《と》り組《く》みが、日本人《にほんじん》の「お金《かね》に対《たい》する考《かんが》え方《かた》」を少《すこ》しずつ変《か》えていくことにつながればと願《ねが》っている。見《み》たことのない景色《けしき》やおいしい食《た》べ物《もの》を目指《めざ》す旅《たび》が好《す》き。

山《やま》﨑《ざき》 孝《たかし》さん

埼玉県出身《さいたまけんしゅっしん》。経営企画本部長《けいえいきかくほんぶちょう》。１男《なん》１女《じょ》の子育《こそだ》てを積極的《せっきょくてき》に行《おこな》う育《いく》メンパパ。難《むずか》しそうと思《おも》われがちな「お金《かね》や投資《とうし》の楽《たの》しさ、面白《おもしろ》さを伝《つた》えたい」と奮闘中《ふんとうちゅう》。ピアノや弦楽器《げんがっき》の演奏《えんそう》を楽《たの》しむ音楽好《おんがくず》き。

1章《しょう》

基礎編《きそへん》

まずはみんなで考《かんが》えよう

ふだんなにげなく使《つか》っている「お金《かね》」について、改《あらた》めて考《かんが》えてみよう。人《ひと》から人《ひと》へ渡《わた》る「横《よこ》の流《なが》れ」、使《つか》うお金《かね》の「過去《かこ》から未来《みらい》への流《なが》れ」がある。お金《かね》ができた「歴史《れきし》」も、ちょっとのぞいてみよう。

第《だい》1話《わ》 大事《だいじ》なお金《かね》の使《つか》い道《みち》

なに買《か》ってもいいけどよく考《かんが》えて買《か》うのよ
それおばあちゃんからのお金《かね》なんだから
おばあちゃんから…？
学宛《がくあ》ての手紙《てがみ》もあるんだ

…おばあちゃん…
…えっ
………

まだ悩《なや》んでる…
そんなに欲《ほ》しいものがたくさんあるのか？
…違《ちが》う
何《なに》も買《か》いたくない
え
俺《おれ》これ貯金《ちょきん》する！
貯金《ちょきん》か～貯金《ちょきん》もいいんだけどな
…なんで使《つか》いたくないんだ？

ばあちゃんからの最後《さいご》のプレゼントだから？
…学《がく》はばあちゃん大好《だいす》きだったもんな
大切《たいせつ》にとっておきたいよな
よいしょ
学《がく》ならそうするってばあちゃんもわかってたから
こういう手紙《てがみ》を遺《のこ》したんだと思《おも》うぞ

…使《つか》ったらおばあちゃんの1万《まん》消《き》えちゃうじゃん
やっぱ嫌《いや》だよ
…学《がく》

お金《かね》っていうのは
使《つか》っても
消《き》えてなくなる
わけじゃないんだよ
え？
そもそも
お金《かね》って
どこから来《き》てるか
知《し》ってるか？
…会社《かいしゃ》？
会社《かいしゃ》の前《まえ》は？
会社《かいしゃ》の前《まえ》!?
これ
読《よ》んでごらん
お金《かね》って
なんなのか
どこに行《い》って
どうなるのか
書《か》いてある
投資家と考える10歳からのお金の話

きっと
おばあちゃんが学《がく》に
伝《つた》えたかったことが
わかるはずだよ
パラ
学を見守っているよ。いっぱい遊んで
いっぱい学んで素敵な大人になってね。
それから、
一万円は必ず使い切ること。
何に使ったか、ばあちゃんに
教えてね。
学のことが大好きな　ばあちゃんより
10000

社会《しゃかい》はお金《かね》でつながっている

使《つか》ったおこづかいはどこに行《い》く？

お菓子《かし》に払《はら》ったお金《かね》は、たくさんの人々《ひとびと》のもとに届《とど》く

今《いま》、あなたはお店《みせ》で150円《えん》のお菓子《かし》を買《か》いました。このお金《かね》はどこに行《い》くのでしょう？

まず、お菓子《かし》をつくった会社《かいしゃ》の売《う》り上《あ》げになりますね。それだけでなく、お菓子《かし》にかかわる人《ひと》たちに分《わ》けられます。お菓子《かし》をつくるメーカーの人々《ひとびと》、できあがったお菓子《かし》をお店《みせ》まで運《はこ》ぶ物流《ぶつりゅう》の人々《ひとびと》、お

メーカー

●お菓子《かし》メーカーの人《ひと》

子《こ》どもたちに喜《よろこ》んで食《た》べてもらえるお菓子《かし》を企画《きかく》して、材料《ざいりょう》を集《あつ》めて製造《せいぞう》します

●デザインするパソコンメーカーの人《ひと》

デザイナーがデザインをするために必要《ひつよう》な、パソコンをつくります

●パソコンソフトをつくる人《ひと》

パッケージのデザインをするために必要《ひつよう》なデザインソフトをつくる人《ひと》もいます

●印刷機《いんさつき》をつくるメーカーの人《ひと》

パッケージデザインを印刷《いんさつ》するには、専門《せんもん》の印刷機《いんさつき》が必要《ひつよう》。その印《いん》刷機《さつき》をつくります

●パッケージデザイナー

「おいしそう！」と感《かん》じてもらえるような、楽《たの》しいデザインを工夫《くふう》します

●パッケージを印刷《いんさつ》する会社《かいしゃ》の人《ひと》

デザイナーが考《かんが》えたデザインを、ビニール袋《ぶくろ》にパッケージ印刷《いんさつ》する会社《かいしゃ》もあります

●ビニール袋《ぶくろ》製造《せいぞう》メーカーの人《ひと》

お菓子《かし》のパッケージになるビニール袋《ぶくろ》。このビニールをつくるメーカーもあります

この章《しょう》の案内人《あんないにん》

堅田雄太《かたたゆうた》さん

1つのお菓子《かし》には、おいしく食《た》べてもらうために、こんなにたくさんの人々《ひとびと》の努《ど》力《りょく》や工夫《くふう》が詰《つ》まっています。

菓子《かし》を売《う》ってくれるコンビニやお菓子屋《かしや》さんなどの小売店《こうりてん》。**あなたがお菓子《かし》を買《か》った150円《えん》は、これだけたくさんの人々《ひとびと》がつくる「社会《しゃかい》」を巡《めぐ》っているのです。**

物流《ぶつりゅう》

●商品《しょうひん》を運《はこ》ぶ物流会社《ぶつりゅうがいしゃ》の人《ひと》

できあがったお菓子《かし》を工場《こうじょう》から卸《おろし》会社《がいしゃ》まで運《はこ》ぶのも大事《だいじ》な仕事《しごと》です

●パッケージ袋《ぶくろ》をつくる石油《せきゆ》を運《はこ》ぶタンカー会社《がいしゃ》の人《ひと》

パッケージ袋《ぶくろ》の原材料《げんざいりょう》である石油《せきゆ》を、外国《がいこく》から日本《にほん》に運《はこ》びます。世界《せかい》も関《かか》わっています

小売店《こうりてん》

このお金、どこに行くの？
エッ!!
コンビニでしょ？

●コンビニに商品《しょうひん》を渡《わた》す卸会社《おろしがいしゃ》の人《ひと》

物流《ぶつりゅう》の人《ひと》たちが運《はこ》んだお菓子《かし》を小売店《こうりてん》に運《はこ》ぶ、卸会社《おろしがいしゃ》や運《うん》送会社《そうがいしゃ》の人《ひと》もいます

●お菓子《かし》を売《う》ってくれたコンビニで働《はたら》く人《ひと》

あなたにお菓子《かし》を届《とど》けるために、売《う》ってくれたお店《みせ》の人《ひと》も一役買《ひとやくか》っています

成分表《せいぶんひょう》の奥《おく》に人《ひと》がいる

原材料《げんざいりょう》

名称《めいしょう》：チューイングキャンディ
原材料名《げんざいりょうめい》：砂糖《さとう》、水《みず》あめ、植《しょく》物油脂《ぶつゆし》、ゼラチン、加糖練乳《かとうれんにゅう》、○△果汁《かじゅう》／ビタミンC《シー》、乳化《にゅうか》剤《ざい》、ソルビトール、増粘多糖《ぞうねんたとう》類《るい》、酸味料《さんみりょう》、香料《こうりょう》、紅花色素《べにばなしきそ》
販売者《はんばいしゃ》：□×食品《しょくひん》

●畑《はたけ》で働《はたら》く人《ひと》
原材料《げんざいりょう》のさとうきびやてん菜《さい》を育《そだ》てて収穫《しゅうかく》します

●果樹園《かじゅえん》で働《はたら》く人《ひと》
レモン味《あじ》、イチゴ味《あじ》、ブドウ味《あじ》、メロン味《あじ》などの味《あじ》のもとになる果物《くだもの》を育《そだ》てます

●油用《あぶらよう》の植物《しょくぶつ》を育《そだ》てる人《ひと》
紅花《べにばな》やヒマワリ、大豆《だいず》なども植物《しょくぶつ》油脂《ゆし》の大事《だいじ》な原料《げんりょう》です

●紅花《べにばな》（着色料《ちゃくしょくりょう》）などを栽培《さいばい》する人《ひと》
植物《しょくぶつ》の紅花《べにばな》は着色料《ちゃくしょくりょう》（食品添加物《しょくひんてんかぶつ》）として、食《しょく》品《ひん》を赤《あか》い色《いろ》にします。黄色《きいろ》になるサフランやクチナシなども栽培《さいばい》します

●香料用植物《こうりょうようしょくぶつ》を栽培《さいばい》する人《ひと》
植物《しょくぶつ》から採《と》れる天然香料《てんねんこうりょう》（フレーバー）は、飲《いん》料《りょう》やお菓子《かし》などに使《つか》われています

成分表《せいぶんひょう》にはつくった人《ひと》の足《あし》あとがいっぱい

お菓子《かし》の袋《ふくろ》をひっくり返《かえ》して、成《せい》分表《ぶんひょう》を見《み》てみましょう。お菓子《かし》の中《なか》に入《はい》っているものがたくさん書《か》かれていますね。

果汁《かじゅう》にするフルーツや砂糖《さとう》、香料《こうりょう》や色素《しきそ》、固《かた》めるためのゼラチンなどが入《はい》っています。こういったフルーツなどの向《む》こう側《がわ》には、フルーツを育《そだ》てたり、フルーツを工場《こうじょう》に運《はこ》んだり、さらには果汁《かじゅう》を搾《しぼ》る機械《きかい》をつくる人《ひと》たちもいます。

あなたに「あー、おいしかった！」とおやつの時間《じかん》を楽《たの》しく過《す》ごしてもらうために、成分表《せいぶんひょう》に書《か》いてあるものをつくるばかりか、つくるための

加工《かこう》

●砂糖《さとう》の精製《せいせい》

さとうきびとてん菜《さい》を原《げん》料《りょう》としてつくられます

●植物油脂《しょくぶつゆし》

食用植物油脂《しょくようしょくぶつゆし》といって、主《おも》に植物《しょくぶつ》の実《み》や種《たね》から加工《かこう》されます

●ゼラチン

プルプルとした食感《しょっかん》を生《う》み出《だ》すゼラチンを、コラーゲンから加工《かこう》するのも大切《たいせつ》な仕事《しごと》です

●ビタミンC《シー》

空気中《くうきちゅう》の酸素《さんそ》によって酸化《さんか》して風味《ふうみ》や色合《いろあ》いが落《お》ちないように加《くわ》えられます

1つの商品《しょうひん》には、こんなにたくさんの人《ひと》の想《おも》いがこもっているよ
払《はら》ったお金《かね》は、この人《ひと》たちの収入《しゅうにゅう》になるんだ

●水《みず》あめ

水《みず》あめはでんぷんから加工《かこう》します。砂糖《さとう》が結晶《けっしょう》になるのを防《ふせ》ぎ、お菓子《かし》のなめらかな口当《くちあ》たりを出《だ》します

●香料《こうりょう》

植物《しょくぶつ》の皮《かわ》をむいて圧縮《あっしゅく》したり、溶《と》かして取《と》り出《だ》すなどの加工《かこう》をします

お菓子《かし》の香《かお》りは、食《た》べる人《ひと》の心《こころ》をワクワクさせる

お菓子《かし》にとって香《かお》りはとっても大切《たいせつ》です。「おいしそう」「食《た》べたいな」と、つい買《か》いたくなっちゃいますよね。香料《こうりょう》はお菓子《かし》ばかりでなく、清涼飲料《せいりょういんりょう》やスープ、調味料《ちょうみりょう》などにも使《つか》われています。

機材《きざい》をつくったり運搬《うんぱん》をしたりするたくさんの人々《ひとびと》が、毎日《まいにち》、努力《どりょく》と工《く》夫《ふう》を重《かさ》ねた集大成《しゅうたいせい》が、今《いま》、目《め》の前《まえ》にあるお菓子《かし》なのです。**お金《かね》を払《はら》ってこのお菓子《かし》を買《か》うときは、お菓子《かし》をつくった人々《ひとびと》のことを思《おも》い浮《う》かべてみましょう。**

はある？

お金《かね》はいろんな人《ひと》に影響《えいきょう》を与《あた》える

お金《かね》は「自分《じぶん》の意思《いし》のあるところ」に行《い》く

お金《かね》を出《だ》して自分《じぶん》が好《す》きなものや欲《ほ》しいものを買《か》うと、「おいしいな」「うれしいな」と喜《よろこ》びを感《かん》じます。

休《やす》み時間《じかん》にぴょんと乗《の》って、くるくる走《はし》り回《まわ》って遊《あそ》ぶ一輪車《いちりんしゃ》

ワクワクする物語《ものがたり》や新刊本《しんかんぼん》を買《か》って読《よ》みたい！

自分《じぶん》が満足《まんぞく》するためにお金《かね》を使《つか》う。そんな「積極的《せっきょくてき》で前向《まえむ》きな気持《きも》ち」が働《はたら》いたときにお金《かね》が動《うご》きます。

お金《かね》は「あなたの意思《いし》があるところ」に行《い》くのです。なにげなく使《つか》うのか、**「どうしたいか」と考《かんが》えながら使《つか》うかで、お金《かね》の行《ゆ》く先《さき》が変《か》わります。**

ちょっとおなかがすいたときに、口《くち》にポン！　甘《あま》いものってうれしい

走《はし》りやすい靴《くつ》。カッコいい靴《くつ》を履《は》いていたい！

欲《ほ》しいもの

サッカーチームの練《れん》習《しゅう》は楽《たの》しい！　家《いえ》でも練習《れんしゅう》できるように買《か》っちゃった！

学校《がっこう》で必要《ひつよう》なノートやペンも、お気《き》に入《い》りのものなら勉強《べんきょう》がはかどる

アナログのラジコンもあなどれない面白《おもしろ》さ！

アップリケがかわいい、お出《で》かけ用《よう》のお気《き》に入《い》りのトートバッグ

スキマ時間《じかん》にはゲームが楽《たの》しみ。友《とも》だちとの話題《わだい》づくりにもなる

塾《じゅく》やお稽古《けいこ》の連絡《れんらく》用《よう》、お友《とも》だちとのやりとりのための必須《ひっす》ツール

おなかがすいたら、コンビニで買《か》ったお弁当《べんとう》をレンジでチン！

誕生日《たんじょうび》に買《か》ってもらったすてきな腕《うで》時計《どけい》！　ちょっぴり大人《おとな》の気分《きぶん》♪

「好《す》き」って意外《いがい》に重要《じゅうよう》なこと。ちょっと気《き》にしてみよう

みんなが「好《す》き」と思《おも》うものは、よく売《う》れて、お金《かね》がそこに向《む》かって動《うご》いていきます。反対《はんたい》に、みんなに好《す》かれないものは売《う》れず、お金《かね》が届《とど》かなくなります。するとどうなるか、次《つぎ》のページで考《かんが》えてみましょう。

消《け》しゴムが
欲《ほ》しいな
どれを
買《か》おう？
かわいさ？
流行《りゅうこう》？
実用《じつよう》？
MOMO
シンプル
キャラクター
香《かお》り付《つ》き

たくさん売《う》れたものが残《のこ》っていく

売《う》れない商品《しょうひん》は、改良《かいりょう》するためのお金《かね》が集《あつ》まらず、やがて消《き》えてしまいます。多《おお》くの人《ひと》に好《す》かれて買《か》ってもらえる商《しょう》品《ひん》が、時代《じだい》に合《あ》わせて改良《かいりょう》され、生《い》き残《のこ》っていくのです。

あなたの使《つか》ったお金《かね》が商品《しょうひん》を応援《おうえん》し、育《そだ》てる

みんながよいと思《おも》って買《か》うことで、そこにお金《かね》が集《あつ》まっていきます。すると、集《あつ》まったお金《かね》は「もっとよい商品《しょうひん》をつくるため」に使《つか》えるようになります。つまり、みんなが買《か》うことでその商品《しょうひん》はもっとよくなり、一方《いっぽう》で売《う》れない商品《しょうひん》はお金《かね》が集《あつ》まらず改良《かいりょう》もできないのです。

あなたが使《つか》ったお金《かね》は、「買《か》ったものを応援《おうえん》する」ことになるのです。**買《か》い物《もの》をするときには、ちょっと立《た》ち止《ど》まって「これはよくなってもらいたいものかな？　私《わたし》が応援《おうえん》したいものかな？」と考《かんが》えながらお金《かね》を使《つか》ってみましょう。**

商品《しょうひん》は外《そと》からの影響《えいきょう》も受《う》ける

商品《しょうひん》に影響《えいきょう》を与《あた》えるのは、買《か》う人《ひと》ばかりではありません。例《たと》えば、カカオ豆《まめ》が不作《ふさく》だったらチョコレートの価格《かかく》が上《あ》がり、ジャガイモが採《と》れなくなったらお店《みせ》に並《なら》ぶポテトチップスが少《すく》なくなります。

原材料《げんざいりょう》や運搬《うんぱん》・販売《はんばい》などのサービスといったすべてのものが、商品《しょうひん》の価格《かかく》に影響《えいきょう》します。

みんなつながっているんだよ

世界《せかい》や天候《てんこう》の状況《じょうきょう》が変《か》わると……

台風《たいふう》で果物《くだもの》が不作《ふさく》に！

果物《くだもの》の収穫《しゅうかく》が減《へ》ると値段《ねだん》が高《たか》くなり、果物《くだもの》を使《つか》ったお菓子《かし》の材料費《ざいりょうひ》が上《あ》がります

石油価格《せきゆかかく》が上《あ》がった！

石油《せきゆ》を原料《げんりょう》とするプラスチックが値上《ねあ》がりし、商品《しょうひん》のパッケージの価格《かかく》が上《あ》がります

商品《しょうひん》の値段《ねだん》が上《あ》がる

関《かか》わっている

あなたがそこにいるだけでお金《かね》は動《うご》く

教科書《きょうかしょ》やドリルに筆記用具《ひっきようぐ》も大事《だいじ》な生活必需品《せいかつひつじゅひん》。お気《き》に入《い》りのものを使《つか》いたいですよね

赤《あか》ちゃんのための粉《こな》ミルクや、遊《あそ》ぶおもちゃをつくる会社《かいしゃ》もあります

首《くび》が据《す》わるようになると、ベビーカーでお出《で》かけ。乗《の》り心地《ごこち》よいベビーカーは大活躍《だいかつやく》

うれしい小学校《しょうがっこう》への入学《にゅうがく》には、ピカピカのランドセルをつくる会社《かいしゃ》が腕《うで》を振《ふ》るいます

人《ひと》は誰《だれ》でもみな世《よ》の中《なか》の役《やく》に立《た》っている

これまであなたが使《つか》うおこづかいを通《とお》して、商品《しょうひん》への影響《えいきょう》を見《み》てきました。では、自分《じぶん》でお金《かね》を使《つか》わない人《ひと》はどうでしょうか?

赤《あか》ちゃんが生《う》まれたら、多《おお》くの場《ば》合《あい》はミルクやオムツ、柔《やわ》らかい肌着《はだぎ》が必要《ひつよう》になります。おもちゃを買《か》う人《ひと》もいるかもしれません。

赤《あか》ちゃんが生《う》まれることで、たくさんの商品《しょうひん》が生《う》み出《だ》され、それらをつくる仕事《しごと》が生《う》まれます。**人《ひと》は誰《だれ》でもそこに存在《そんざい》しているだけで、世《よ》の中《なか》の役《やく》に立《た》っているのです。**

みんな世《よ》の中《なか》に

年《とし》を重《かさ》ねたら、よい介護用品《かいごようひん》や介護《かいご》してくれる人《ひと》も必要《ひつよう》です。お年寄《としよ》りのために工夫《くふう》を重《かさ》ねています

お休《やす》みの日《ひ》は、好《す》きな本《ほん》をゆっくり読《よ》んでリフレッシュ

学校《がっこう》を卒業《そつぎょう》して、仕事《しごと》をするようになったら服装《ふくそう》が変《か》わることも

犬《いぬ》や猫《ねこ》などのペットにかかわる仕事《しごと》も多《おお》い

かわいい犬《いぬ》や猫《ねこ》に会《あ》いたくて、学校《がっこう》から急《いそ》いで帰《かえ》ってくる人《ひと》も多《おお》いでしょう。ペットフードやトイレ用品《ようひん》の会社《かいしゃ》、病気《びょうき》を診《み》る動物病院《どうぶつびょういん》など、ペットの存在《そんざい》によって生《う》まれる仕事《しごと》もたくさんあります。

お金《かね》から切《き》り離《はな》されて生《い》きていく人《ひと》はいない

もし、離《はな》れ小島《こじま》に一人《ひとり》ぼっちで自《じ》給自足《きゅうじそく》で暮《く》らしている人《ひと》がいたら、その人《ひと》はお金《かね》に関《かか》わっていないといえるかもしれません。しかし、現実《げんじつ》にはそんな人《ひと》はいないでしょう。**人《ひと》は誰《だれ》でも、世《よ》の中《なか》と関《かか》わりを持《も》って生《い》きています。そして、世《よ》の中《なか》をめぐっているお金《かね》と無縁《むえん》ではありません。**

人《ひと》ばかりではありません。庭《にわ》に雑《ざっ》草《そう》が生《は》えれば、除草剤《じょそうざい》をつくる会社《かいしゃ》や庭木《にわき》の手入《てい》れをする職業《しょくぎょう》も生《う》まれます。犬《いぬ》や猫《ねこ》を飼《か》っていれば、お世《せ》話《わ》するためのグッズをつくる会社《かいしゃ》も必要《ひつよう》です。

あなたが払《はら》ったお金《かね》は あなたに戻《もど》ってくる

おこづかいでお菓子《かし》を買《か》ったら、お金《かね》はどこに行《い》くでしょう？

お金《かね》は、お菓子《かし》をつくった会社《かいしゃ》の利益《りえき》になります。そのお菓子《かし》メーカーではお母《かあ》さんが働《はたら》いています。会社《かいしゃ》の利益《りえき》は、お給料《きゅうりょう》となってお母《かあ》さんに支払《しはら》われます。お給料《きゅうりょう》をもらったお母《かあ》さんは、あなたにおこづかいをくれました。そしてあなたはお店《みせ》にお菓子《かし》を買《か》いに行《い》って……。

おやおや？　**あなたが払《はら》ったお金《かね》は、クルクルッと世《よ》の中《なか》を回《まわ》って、あなたのところに戻《もど》ってきちゃいましたね。あなたと世《よ》の中《なか》とお金《かね》は、そうやってつながっているのです。**

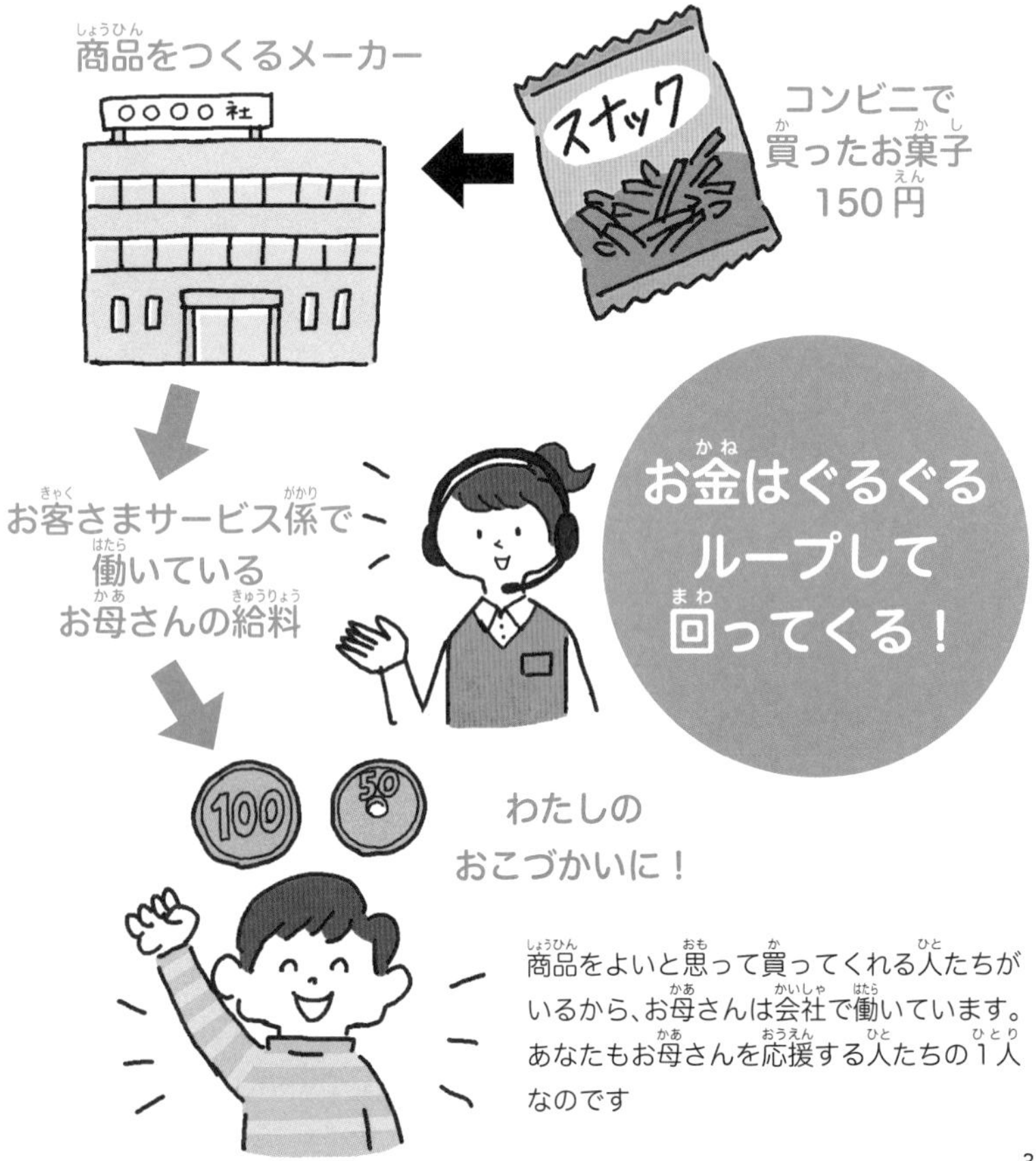
商品《しょうひん》をつくるメーカー
○○○○社
スナック
コンビニで
買《か》ったお菓子《かし》
150円《えん》
お金《かね》はぐるぐる
ループして
回《まわ》ってくる！
お客《きゃく》さまサービス係《がかり》で
働《はたら》いている
お母《かあ》さんの給料《きゅうりょう》
100
50
わたしの
おこづかいに！

商品《しょうひん》をよいと思《おも》って買《か》ってくれる人《ひと》たちがいるから、お母《かあ》さんは会社《かいしゃ》で働《はたら》いています。あなたもお母《かあ》さんを応援《おうえん》する人《ひと》たちの1人《ひとり》なのです

お金《かね》を使《つか》って何《なに》をしよう？

自分《じぶん》のため？

自分《じぶん》の勉強《べんきょう》や向上《こうじょう》のために使《つか》ったら、大人《おとな》になったとき、人《ひと》の役《やく》に立《た》つことができるかな？

人《ひと》のため？

困《こま》っている人《ひと》のために使《つか》えば、助《たす》かる人《ひと》がいる。それなら、どの人《ひと》のために使《つか》おうかな？

お金《かね》の使《つか》い方《かた》には、自分《じぶん》の考《かんが》え方《かた》が表《あらわ》れる
自分《じぶん》の幸福感《こうふくかん》につながる！

お金《かね》を考《かんが》えることは、「人生《じんせい》を考《かんが》える」こと

「欲《ほ》しいもの」にお金《かね》を払《はら》うと、あなたが「何《なに》を考《かんが》えているか」がわかります。**お金《かね》の使《つか》い方《かた》には、あなたの考《かんが》えや態度《たいど》がそのまま映《うつ》し出《だ》されるからです。**だからこそ「お金《かね》を使《つか》って何《なに》をしよう」と前向《まえむ》きに考《かんが》えることが、とても大切《たいせつ》なのです。

もしあなたが靴《くつ》を買《か》えば、その靴《くつ》をつくっている会社《かいしゃ》や働《はたら》いている人《ひと》たちを応援《おうえん》することになります。それなら、応援《おうえん》したい会社《かいしゃ》の靴《くつ》を買《か》おう。

そんなふうに**考《かんが》えながらお金《かね》を使《つか》うと、幸《しあわ》せな気持《きも》ちになります。お金《かね》を考《かんが》えることは、「自分《じぶん》がどう生《い》きるか」を考《かんが》えることなのです。**

お金《かね》は過去《かこ》と未来《みらい》をつなぐもの

目《め》の前《まえ》にあるお金《かね》は、どこからやってきた？

あなたと友《とも》だちが、それぞれ千円《えん》を持《も》っています。どちらも同《おな》じ金額《きんがく》のお金《かね》ですね。

あなたのお金《かね》はお父《とう》さんが働《はたら》いて得《え》た給料《きゅうりょう》から、おこづかいとしてもらったもの。友《とも》だちのお金《かね》は、おとなりの人《ひと》やおばあちゃん、お母《かあ》さんから渡《わた》されて集《あつ》まったもの。

あなたと友《とも》だちでは、お金《かね》が来《き》た道《みち》のりや理由《りゆう》が違《ちが》うのです。

お金《かね》は「過去《かこ》のいろいろないきさつ」を経《へ》て、今《いま》、あなたたちの目《め》の前《まえ》にあるのです。

自分《じぶん》のお金《かね》

お父《とう》さんからもらったおこづかいだよ

1000

お父《とう》さんがお仕事《しごと》をして稼《かせ》いだお金《かね》

この章《しょう》の案内人《あんないにん》
お金《かね》の「時間《じかん》の流《なが》れ」を考《かんが》えてみよう
藤野英人《ふじのひでと》さん

同《おな》じ金額《きんがく》でも

お財布《さいふ》の中《なか》のお金《かね》は友《とも》だちとわたしではやって来《き》た道《みち》のりがちがう

友《とも》だちのお金《かね》
自動販売機《じどうはんばいき》でお茶《ちゃ》を買《か》ったおつり
おばあちゃんからもらったおこづかい
犬《いぬ》の散歩《さんぽ》をしてあげたらおとなりの人《ひと》にもらったの
100
100
100
100
100
100
500
MILK
コンビニにおつかいをたのまれた
お母《かあ》さんが働《はたら》いたお金《かね》
おとなりの人《ひと》の収入《しゅうにゅう》から

何人《なんにん》かの人《ひと》から渡《わた》されて集《あつ》まったお金《かね》

お金《かね》は持《も》ち主《ぬし》の過去《かこ》が詰《つ》まった「缶詰《かんづめ》」

親《おや》が譲《ゆず》り受《う》けた先祖伝《せんぞでん》来《らい》の土地《とち》

祖父母《そふぼ》から親《おや》が受《う》け継《つ》いだ遺産《いさん》

奨学金

父《ちち》が学生時代《がくせいじだい》に受《う》け取《と》った奨学金《しょうがくきん》

母《はは》が家庭菜園《かていさいえん》で育《そだ》てた野菜《やさい》を青空市場《あおぞらいちば》で売《う》ったお金《かね》

いらっしゃいませ！

母《はは》が大学時代《だいがくじだい》にしていたアルバイトで稼《かせ》いだバイト代《だい》

お金《かね》には人《ひと》の「過去《かこ》」と「歴史《れきし》」が詰《つ》まっている

あなたのお財布《さいふ》の中《なか》にあるお金《かね》は、多《おお》くはお父《とう》さんかお母《かあ》さんにもらったものでしょう。くれたのはおばあちゃんだったとしても、誰《だれ》かからもらったものですね。

そのお父《とう》さんやお母《かあ》さんは、働《はたら》いてお金《かね》を得《え》ています。一生懸命《いっしょうけんめい》働《はたら》いた努力《どりょく》や費《つい》やした時間《じかん》などのいろんなものがかたちを変《か》えて、給料《きゅうりょう》や収《しゅう》入《にゅう》となったのです。

言《い》い換《か》えれば、**お金《かね》とは「誰《だれ》かの過去《かこ》」であり、「誰《だれ》かの歴史《れきし》」がいっぱい詰《つ》まったものなのです。**

親《おや》の働《はたら》いたお金《かね》は
もちろん、
祖父母《そふぼ》から受《う》け継《つ》いだ
財産《ざいさん》もみんなまとめて
「その人《ひと》の過去《かこ》」
過去の缶詰
父《ちち》と母《はは》が一生懸命《いっしょうけんめい》働《はたら》いて得《え》ている給料《きゅうりょう》や収入《しゅうにゅう》
缶詰《かんづめ》の中《なか》には、あなたや家族《かぞく》の人生《じんせい》がいっぱい詰《つ》まっているの！
お金《かね》は、持《も》ち主《ぬし》やその前《まえ》の持《も》ち主《ぬし》たちの「過《か》去《こ》の営《いとな》み」がいっぱい詰《つ》まった缶詰《かんづめ》

お金《かね》には生《い》きてきた過去《かこ》のすべてが入《はい》っている

今《いま》、あなたが持《も》っているのは、お父《とう》さんとお母《かあ》さんがたくさんの過去《かこ》を経《へ》て、手《て》にしたお金《かね》をもらったもの。祖父母《そふぼ》から受《う》け継《つ》いだお金《かね》もあるかもしれません。

お金《かね》があなたに渡《わた》されるときには、「勉強《べんきょう》をがんばったごほうび」やお正月《しょうがつ》の「お年玉《としだま》」、月々《つきづき》のおこづかいなど、いろいろな理由《りゆう》がありますね。あなたの人間関係《にんげんかんけい》でもらうお金《かね》もあれば、あなた自身《じしん》の努力《どりょく》に対《たい》するごほうびもあります。

お財布《さいふ》の中《なか》にあるお金《かね》は、あなたが「これまで生《い》きてきた積《つ》み重《かさ》ねが引《ひ》き寄《よ》せたお金《かね》」なのです。

お金《かね》は未来《みらい》への希望《きぼう》をつなぐもの

お金《かね》って、とってもワクワクする魔法《まほう》みたいなものなんだ！
10000
未来の缶詰

「過去《かこ》の缶詰《かんづめ》」であるとともに、「未来《みらい》の缶詰《かんづめ》」でもある

お金《かね》の缶詰《かんづめ》には「未来《みらい》への希望《きぼう》」が入《はい》っている

「過去《かこ》」が詰《つ》まった缶詰《かんづめ》の裏側《うらがわ》を見《み》てみましょう。今度《こんど》は「未来《みらい》」と書《か》いてありますね。**お金《かね》は「過去《かこ》の缶詰《かんづめ》」であると同時《どうじ》に「未来《みらい》の缶詰《かんづめ》」でもあるのです。**

今目《いまめ》の前《まえ》にあるお金《かね》を使《つか》って、お菓子《かし》や本《ほん》を買《か》ったり、ゲームや道具《どうぐ》を買《か》うことができます。新《あたら》しいものや新《あたら》しい体験《たいけん》を、お金《かね》を使《つか》うことで手《て》に入《い》れることができます。

お金《かね》とは、過去《かこ》の私《わたし》たちの努力《どりょく》と未来《みらい》の希望《きぼう》をつなぐもの。お金《かね》のパワーは未来《みらい》に結《むす》びつきます。「お金《かね》を使《つか》ってこれから何《なに》をするか」で、あなたの未来《みらい》が変《か》わっていくのです。

お金《かね》にはロマンがある

今持《いまも》っているお金《かね》で、どんな未来《みらい》を手《て》に入《い》れる？

ゲーム・おもちゃを買《か》う

必要《ひつよう》な道具《どうぐ》を買《か》う

好奇心《こうきしん》を満《み》たす

過去《かこ》と未来《みらい》のつなぎ目《め》にお金《かね》がある

映画《えいが》を観《み》る

お菓子《かし》を買《か》う

服《ふく》を買《か》っておしゃれする

食事《しょくじ》を楽《たの》しむ

お金《かね》の役《やく》割《わり》は変《か》わってきた

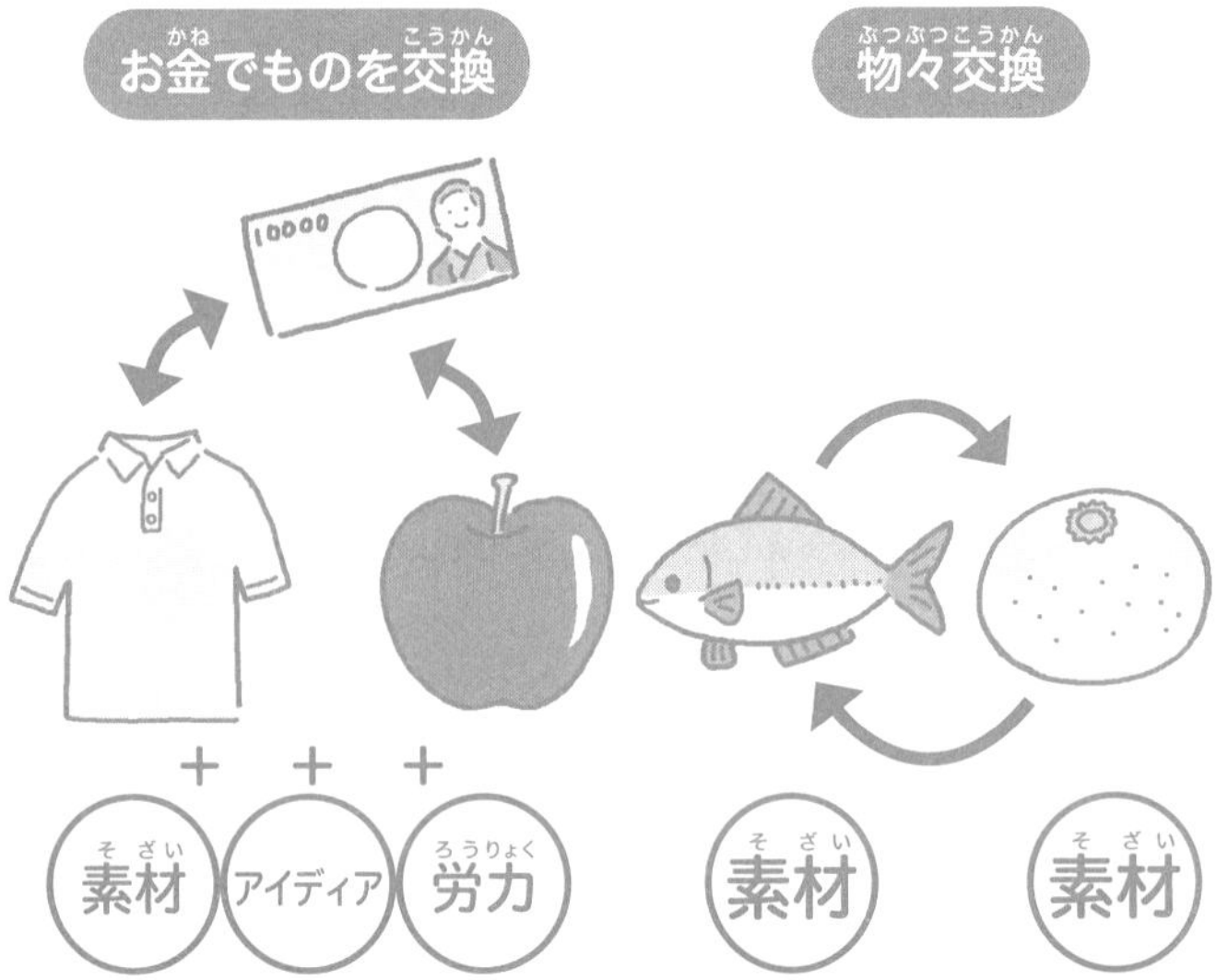
物々交換《ぶつぶつこうかん》
素材《そざい》
素材《そざい》
お金《かね》でものを交換《こうかん》
10000
素材《そざい》
アイディア
労力《ろうりょく》

それぞれが欲《ほ》しいものを交換《こうかん》

重《おも》いものや腐《くさ》りやすいものを持《も》っていき、自分《じぶん》の欲《ほ》しいものを持《も》っている人《ひと》と出会《であ》って交換《こうかん》するのはとても大変《たいへん》

ものの代《か》わりをするお金《かね》を発明《はつめい》

お金《かね》の発明《はつめい》のおかげで、ものの交換《こうかん》がだいぶ楽《らく》に。アイディアや作業《さぎょう》にも価値《かち》があると気《き》づいて値段《ねだん》がつくように

お金《かね》で、見《み》えない価値《かち》の交換《こうかん》もできるようになった

昔《むかし》、人々《ひとびと》はものとものを交換《こうかん》して暮《く》らしていました。でも、少《すこ》し不便《ふべん》だったので「お金《かね》」を発明《はつめい》しました。はじめのうちは石《いし》や貝殻《かいがら》を使《つか》い、だんだん金属《きんぞく》や紙《かみ》にかたちを変《か》えていきました。

そのうちに、人々《ひとびと》は「ものをつくろうと思《おも》うことや実際《じっさい》につくるのは大変《たいへん》。ものをお客《きゃく》さんに渡《わた》してくれる人《ひと》も必要《ひつよう》だよね」と気《き》づき、「アイディア」や「労力《ろうりょく》」「サービス」にもお金《かね》を払《はら》ったほうがいい、と考《かんが》えるようになりました。「目《め》に見《み》えないもの」にも値段《ねだん》がつくように

お金《かね》が社会《しゃかい》を発展《はってん》させる

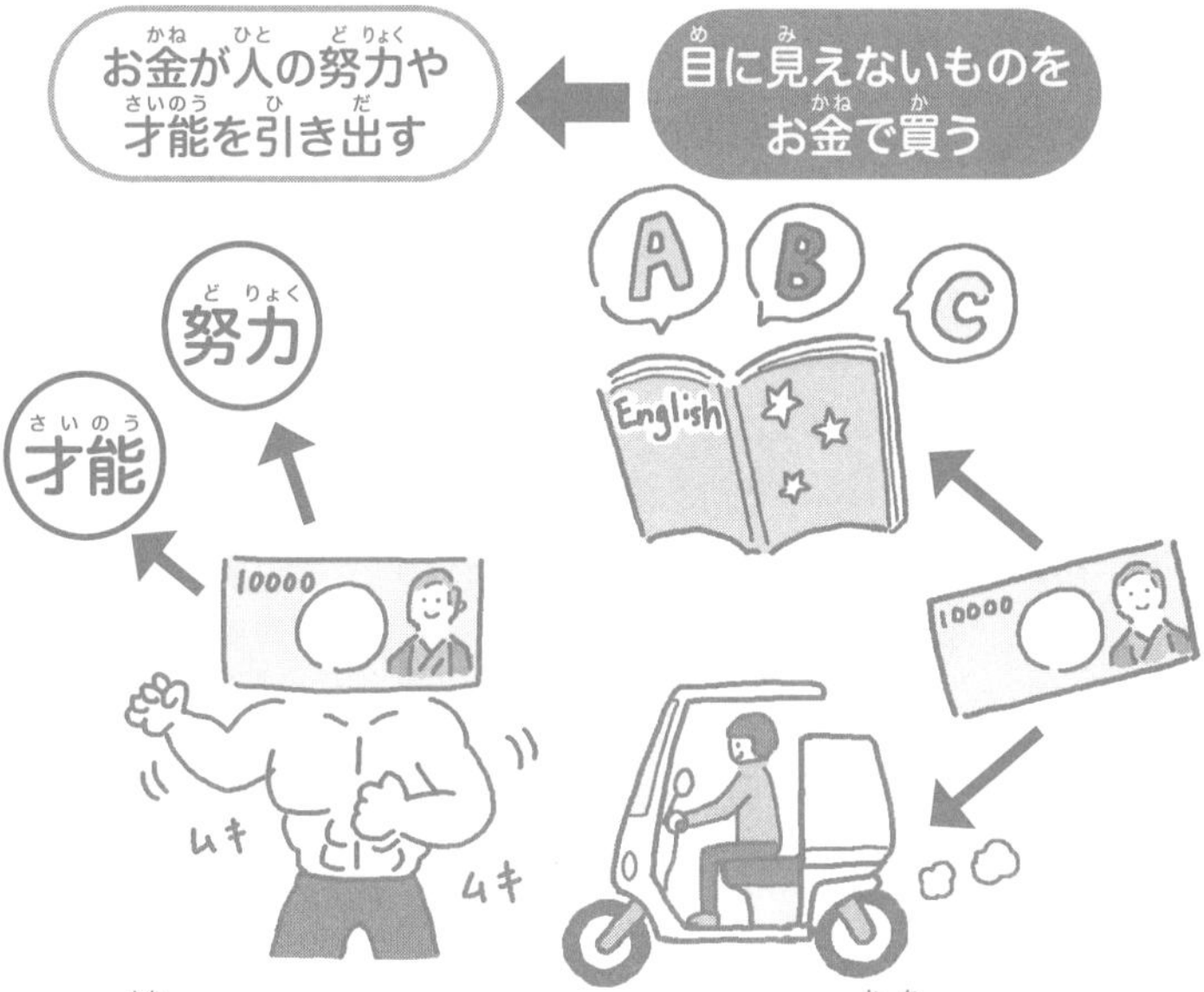
お金《かね》が人《ひと》の努力《どりょく》や
才能《さいのう》を引《ひ》き出《だ》す
目《め》に見《み》えないものを
お金《かね》で買《か》う
努力《どりょく》
才能《さいのう》
10000
ムキ
ムキ
A
B
C
English
10000

お金《かね》はパワフル！

積極的《せっきょくてき》に人《ひと》の努力《どりょく》や才能《さいのう》を引《ひ》き出《だ》して、世《よ》の中《なか》の人《ひと》たちのためにがんばろう、という気《き》持《も》ちを起《お》こさせる力《ちから》がある

サービスの価値《かち》が認《みと》められる

「役《やく》に立《た》つ」ことや形《かたち》にはならない気配《きくば》り、仕事《しごと》といった「サービス」にも価値《かち》があると気《き》づくようになった

なったのです。

やがてお金《かね》は、「人《ひと》と人《ひと》が価値《かち》を交換《こうかん》する、すべての活動《かつどう》をつなぐ」ものへと、役割《やくわり》が広《ひろ》がっていきました。

「誰《だれ》かの役《やく》に立《た》つ」ために働《はたら》く人《ひと》たちが増《ふ》えていく

そうして世《よ》の中《なか》で人々《ひとびと》がふつうにお金《かね》を使《つか》うようになると、今度《こんど》は「誰《だれ》かのために何《なに》かをつくったり、何《なに》かをしてあげるとお金《かね》と交換《こうかん》できる」とわかるようになっていきました。

すると、**積極的《せっきょくてき》に「誰《だれ》かの役《やく》に立《た》つものをつくったり、誰《だれ》かに喜《よろこ》ばれるサービスをしてお金《かね》を稼《かせ》ごう」とする人《ひと》たちが増《ふ》えていったのです。**

買《か》えないものがいっぱいある

自然《しぜん》のめぐみ

●きれいでおいしい空気《くうき》

山《やま》や海《うみ》などの自然《しぜん》の調和《ちょうわ》による恵《めぐ》みは、人《ひと》の手《て》では現状《げんじょう》を保《たも》とうとする努力《どりょく》しかできません

ものが少《すく》ない

●希少価値《きしょうかち》のあるもの

欲《ほ》しい人《ひと》がたくさんいるのに、ものの量《りょう》が少《すく》ないときは、買《か》いたくても買《か》うことができません

健康《けんこう》

●元気《げんき》で過《す》ごせること

運動《うんどう》するためのグッズを買《か》うことはできますが、お金《かね》で健康《けんこう》を買《か》えるわけではありません

お金《かね》があれば何《なん》でも買《か》えるわけではない

お金《かね》があれば欲《ほ》しいものが買《か》えたり、好《す》きなことができるとわかり、お金《かね》を得《え》るために働《はたら》く人《ひと》たちも増《ふ》えました。それなら、お金《かね》があれば何《なん》でもできるのでしょうか？

答《こた》えは「ノー」です。**いくらお金《かね》があっても買《か》えないものが、世《よ》の中《なか》にたくさんあるのです。**

お金《かね》がなくてもできること

例《たと》えば、愛情《あいじょう》や信頼《しんらい》はお金《かね》では買《か》えません。プレゼントを買《か》って相手《あいて》に自分《じぶん》を好《す》きになってもらえるとし

世《よ》の中《なか》にはどんなにお金《かね》を出《だ》しても

人《ひと》の心《こころ》

●相手《あいて》の気持《きも》ちをつかむ
お金《かね》だけでは、相手《あいて》には振《ふ》り向《む》いてもらえないことも。人《ひと》の心《こころ》をつかむには、自分《じぶん》の行動《こうどう》が問《と》われます

信頼《しんらい》　**愛情《あいじょう》**　**尊敬《そんけい》**　**友情《ゆうじょう》**

たら、それは「プレゼント」というものをつうじて、自分《じぶん》の心《こころ》を相手《あいて》に届《とど》けたことによって愛《あい》されるようになったのでしょう。

学校《がっこう》に行《い》ってお菓子《かし》をみんなに配《くば》ったら人気者《にんきもの》になれるでしょうか？　お菓子《かし》を買《か》うお金《かね》がなくなったら、友《とも》だちだと思《おも》っていた人《ひと》たちは離《はな》れていくでしょう。それよりは、毎朝《まいあさ》「おはよう！」と笑顔《えがお》を向《む》けたり、困《こま》っている人《ひと》の相談《そうだん》に乗《の》ったりしたほうが信《しん》じてもらえるようになりますね。どれほどお金《かね》を出《だ》しても、人《ひと》の心《こころ》は買《か》えないのです。**「お金《かね》がなくてもできることがたくさんある」のを知《し》っておくことが大《だい》事《じ》です。**

お金《かね》は人《ひと》を狂《くる》わせる「おっかねー」もの

お金《かね》そのものは、ただの金《きん》属《ぞく》や紙《かみ》ですが、お金《かね》を使《つか》うことで欲《ほ》しいものが買《か》えて、幸《しあわ》せな気持《きも》ちになりますね。

一方《いっぽう》で、お金《かね》は人《ひと》を悪《わる》い方《ほう》向《こう》に動《うご》かしたり、争《あらそ》いのもとにもなる「おっかねー」ものでもあります。

「ノートを買《か》いたいからお金《かね》を貸《か》して」と友《とも》だちに頼《たの》まれて貸《か》したのに、返《かえ》してくれなかったら困《こま》りますよね。友《とも》だちとの関係《かんけい》も気《き》まずくなってしまいます。

未来の缶詰
使《つか》い方《かた》しだいで
こんな危険《きけん》も
豊《ゆた》かな土地《とち》が欲《ほ》しくて戦争《せんそう》して奪《うば》おうとすることも
お金《かね》を欲《ほ》しがる友《とも》だちとけんかになることも
お金《かね》が儲《もう》からなくなって、会社《かいしゃ》が倒産《とうさん》
お金《かね》の貸《か》し借《か》りの言《い》い合《あ》いから暴力《ぼうりょく》に
お給料《きゅうりょう》の使《つか》い道《みち》の違《ちが》いが夫婦《ふうふ》げんかになることも

お金《かね》は上手《じょうず》に使《つか》えば人生《じんせい》の味方《みかた》になってくれる。「未来《みらい》の缶詰《かんづめ》」の中身《なかみ》を豊《ゆた》かにするか貧《まず》しくするかは、自分《じぶん》の考《かんが》え方《かた》しだいです

「幸《しあわ》せにも不幸《ふこう》にもなる」ことを意識《いしき》する

「もっと欲《ほ》しい」「独《ひと》り占《じ》めしたい」という感情《かんじょう》は、友《とも》だちや恋人《こいびと》、親《おや》など身近《みぢか》な人《ひと》たちとのけんかにつながり、やがて国《くに》と国《くに》の争《あらそ》いにまで発展《はってん》してしまうことも……。人《ひと》の命《いのち》まで奪《うば》う問題《もんだい》になりかねないのです。

お金《かね》は未来《みらい》の可能性《かのうせい》を持《も》っている魅力的《みりょくてき》なものです。それだけに、その魅力《みりょく》に取《と》りつかれてしまうとさまざまな問題《もんだい》を引《ひ》き起《お》こしてしまう危険性《きけんせい》もあるのです。

「お金《かね》はすてきなものだけど、扱《あつか》い方《かた》によっては幸《しあわ》せにも不幸《ふこう》にもなる」ことを意識《いしき》して、お金《かね》と向《む》き合《あ》うことが大事《だいじ》です。

あなたが本《ほん》を買《か》ったお金《かね》は、本《ほん》をつくった会社《かいしゃ》の人《ひと》の給料《きゅうりょう》になり、次《つぎ》の本《ほん》をつくるために使《つか》われる

買《か》いたいものについてよく調《しら》べてみよう

誰《だれ》かに渡《わた》したお金《かね》は、つぎつぎといろいろな人《ひと》に渡《わた》っていきます。例《たと》えば、もしあなたが本《ほん》を買《か》ったら、そのお金《かね》は本《ほん》をつくるために関《かか》わった人《ひと》たちのもとに届《とど》きます。そして、次《つぎ》にもっとよい本《ほん》をつくるために使《つか》われるようになるのです。

あなたが本《ほん》を買《か》ったことで、多《おお》くの人《ひと》を支《ささ》え、社会《しゃかい》の役《やく》に立《た》つことができる。ものを買《か》うことは、「人《ひと》の役《やく》に立《た》つこと」なのです。

ものを買《か》うときには、自分《じぶん》の好《この》みを大切《たいせつ》にすると同時《どうじ》に、**「買《か》うものについてよく調《しら》べてみる」ことがとても大事《だいじ》です。買《か》うものについてよ**

お互《たが》いが支《ささ》え合《あ》うことで社会《しゃかい》は成《な》り立《た》っている

たくさん売《う》れたものはもっとよくなる

ものを買《か》うとき、裏《うら》のラベルを見《み》てみましょう。ラベルに書《か》かれている内容《ないよう》から、関係《かんけい》する人《ひと》たちの努力《どりょく》や想《おも》いを意識《いしき》できたら、もっとすてきなお金《かね》の使《つか》い方《かた》ができるでしょう。

く知《し》ることは、「自分《じぶん》の払《はら》ったお金《かね》がどのように役《やく》に立《た》つのか」と考《かんが》える手掛《てが》かりになるからです。

お互《たが》いが恵《めぐ》み支《ささ》え合《あ》って「互恵関係《ごけいかんけい》」となる

ものを買《か》うことで、あなたは社会《しゃかい》の中《なか》に参加《さんか》できるのです。そのことを「互恵関係《ごけいかんけい》」といいます。「互恵《ごけい》」とは、お互《たが》いに恵《めぐ》み合《あ》い支《ささ》え合《あ》うこと。これが「経済《けいざい》」の基本的《きほんてき》なかたちです。

売《う》る人《ひと》と買《か》う人《ひと》がいて、その間《あいだ》にたくさんの人《ひと》たちが入《はい》って「社会《しゃかい》」をつくります。そして、社会《しゃかい》の間《あいだ》を流《なが》れるお金《かね》が、たくさんの人《ひと》たちを幸《しあわ》せにしていくのです。

ガンバレー!!
過去《かこ》の努力《どりょく》のバトンリレー
過去
バトンリレーを通《つう》じて今《いま》存在《そんざい》するものがある
過去
ものを売《う》ったり買《か》ったりするのは、とってもロマンチックなこと。お金《かね》は世《よ》の中《なか》を循環《じゅんかん》しながら、さらに増《ふ》えていくようになります
お金《かね》をしまっておくと、過去《かこ》の人々《ひとびと》のがんばりが世《よ》の中《なか》に出《で》られません

過去《かこ》から未来《みらい》への感謝《かんしゃ》のバトンリレー

あなたが持《も》っているお金《かね》は、過去《かこ》からたくさんの人《ひと》たちがバトンリレーして持《も》ってきてくれたものです。その人《ひと》たちの努力《どりょく》やいろいろな想《おも》いや成果《せいか》がお金《かね》になっています。そのお金《かね》を何《なに》かと交換《こうかん》するのが、ものを買《か》うということです。

そのため、**何《なに》かを買《か》うときには、バトンリレーをしてつないできてくれた人《ひと》たちへの「感謝《かんしゃ》の気持《きも》ち」を持《も》ちたいものです。**

同時《どうじ》に、**お金《かね》を使《つか》うことは、毎日《まいにち》一生懸命《いっしょうけんめい》がんばって生活《せいかつ》している「あなた自身《じしん》の努力《どりょく》を敬《うやま》う」ことでもあるのです。**

お金《かね》を出《だ》して応援《おうえん》するのが「投資《とうし》」

好《す》きなものを買《か》うことから、一歩進《いっぽすす》んで「応援《おうえん》したいこと」に直接《ちょくせつ》お金《かね》を出《だ》す「投資《とうし》」という方法《ほうほう》もあります。何《なに》かを応援《おうえん》することは、人《ひと》を幸《しあわ》せにすることにつながります

あなたと関《かか》わった人《ひと》たちに「ありがとう」と言《い》ってみる

目《め》の前《まえ》にいる人《ひと》たちに「ありがとう」と言《い》ってみましょう。コンビニの店員《てんいん》さん、パン屋《や》さんのレジの人《ひと》……。それがものをつくってくれた人《ひと》たちの努力《どりょく》やがんばりへの感謝《かんしゃ》を示《しめ》すことになります。「ありがとう」の笑顔《えがお》はあなたに幸運《こううん》をもたらします。

お金《かね》の流《なが》れに感謝《かんしゃ》すると「幸福《こうふく》の循環《じゅんかん》」が起《お》こる

先《さき》ほど、お互《たが》いに支《ささ》え合《あ》う互恵《ごけい》の関係《かんけい》が「経済《けいざい》」とお話《はな》ししました。「経済《けいざい》」は、お金《かね》を使《つか》う（消費《しょうひ》する）ことから始《はじ》まります。そして、お金《かね》は世《よ》の中《なか》をグルグル回《まわ》ります。だから、**あなたも「経済《けいざい》」の中《なか》の一員《いちいん》**なのです。

過去《かこ》のたくさんのバトンリレーしてきた人《ひと》たちに感謝《かんしゃ》をし、商品《しょうひん》や物《もの》事《ごと》を調《しら》べて応援《おうえん》したいことにお金《かね》を出《だ》すと、「幸福《こうふく》の循環《じゅんかん》」が始《はじ》まります。すると「経済《けいざい》」の仕組《しく》みからたくさんのお返《かえ》しをもらえるようになり、未来《みらい》の可能性《かのうせい》もふくらみます。

お金《かね》の歴史《れきし》

社会《しゃかい》が変《か》わるとき、お金《かね》も動《うご》く

千円札《せんえんさつ》の表面《おもてめん》は野口英世《のぐちひでよ》

ハンデキャップを克服《こくふく》し、世界《せかい》の人々《ひとびと》のために研究《けんきゅう》した細菌学者《さいきんがくしゃ》

↑マークに注目《ちゅうもく》

左下隅《ひだりしたすみ》と右下隅《みぎしたすみ》には、長《なが》さ1cmほどの視覚障害者用《しかくしょうがいしゃよう》の識別《しきべつ》マークが。指先《ゆびさき》で触《さわ》ると凹凸《おうとつ》がわかります

裏面《うらめん》は富士山《ふじさん》と桜《さくら》

日本《にほん》を代表《だいひょう》する山《やま》と花《はな》。湖面《こめん》には逆《さか》さ富士《ふじ》が美《うつく》しく映《は》えます

お金《かね》をジロジロ見《み》てみよう！

お金《かね》には、さまざまな工夫《くふう》が凝《こ》らされています。知《し》れば知《し》るほどワクワクする、お金《かね》の秘密《ひみつ》をのぞいちゃおう。

この章《しょう》の案内人《あんないにん》

渡邉庄太《わたなべしょうた》さん

お金《かね》にはその国《くに》の人々《ひとびと》の想《おも》いが込《こ》められている

子《こ》どもたちと話《はな》していると、感心《かんしん》することがあります。それは、子《こ》どもたちは「お金《かね》そのもの」にすごく興味《きょうみ》があるということ。例《たと》えば、

「このマークはどんな意味《いみ》？」

「光《ひかり》に透《す》かすと絵《え》が見《み》えるね！」

「お金《かね》の漢字《かんじ》が難《むずか》しい」

「指《ゆび》で触《さわ》るとデコボコしているとこ

ろがあるね」
「お札《さつ》の裏《うら》に描《か》いてある鳥《とり》、なんだかやせっぽち〜（国宝《こくほう》です！）」
などなど……。

こんなふうにお金《かね》そのものに興味《きょうみ》を持《も》つことが、実《じつ》はとっても大切《たいせつ》なのです。

なぜなら、お金《かね》にはその国《くに》の人々《ひとびと》が大事《だいじ》にしてきた想《おも》いが込《こ》められているから。１つのコイン、１枚《まい》のお札《さつ》の中《なか》には、たくさんのメッセージが盛《も》り込《こ》まれているのです。

※千円札《えんさつ》、一万円札《まんえんさつ》は2024年《ねん》7月《がつ》に新札《しんさつ》が発行《はっこう》されます

一万円札《いちまんえんさつ》の表面《おもてめん》は福沢諭吉《ふくざわゆきち》

幕末《ばくまつ》から明治時代《めいじじだい》にかけて新《あたら》しい考《かんが》え方《かた》を広《ひろ》く知《し》らせました

マークに注目《ちゅうもく》⬆

左下隅《ひだりしたすみ》にＬ《エル》字型《じがた》と右下隅《みぎしたすみ》に逆Ｌ《ぎゃくエル》字型《じがた》の視覚障害者用識別《しかくしょうがいしゃようしきべつ》マークが。指先《ゆびさき》で触《さわ》ると他《ほか》のお札《さつ》との違《ちが》いがわかります

裏面《うらめん》には鳳凰像《ほうおうぞう》

平安時代《へいあんじだい》につくられた平等院鳳凰堂《びょうどういんほうおうどう》の国宝《こくほう》です

50円硬貨《えんこうか》

表《おもて》は一重《ひとえ》の菊《きく》、裏《うら》は数字《すうじ》の「50」と発行年《はっこうねん》があります

100円硬貨《えんこうか》

表《おもて》には桜《さくら》が華《はな》やかに、裏《うら》は数字《すうじ》の「100」と発行年《はっこうねん》が

10円硬貨《えんこうか》

表《おもて》には平等院鳳凰堂《びょうどういんほうおうどう》、裏《うら》は常磐木《ときわぎ》とリボン

5円硬貨《えんこうか》

表《おもて》は稲穂《いなほ》と穴《あな》のまわりの歯車《はぐるま》。横線《よこせん》は水《みず》を表《あらわ》しています

世界《せかい》のお金《かね》には、風土《ふうど》や考《かんが》え方《かた》が表《あらわ》れる

昔使《むかしつか》われていたお金《かね》

昔《むかし》の中国《ちゅうごく》でお金《かね》として使《つか》われたのは、貝殻《かいがら》です。「いくらの価《か》値《ち》がある」と約束《やくそく》ごとをしてやりとりしていました。農機具《のうきぐ》など大切《たいせつ》な道具《どうぐ》を模《も》したお金《かね》を使《つか》う時代《じだい》もありました

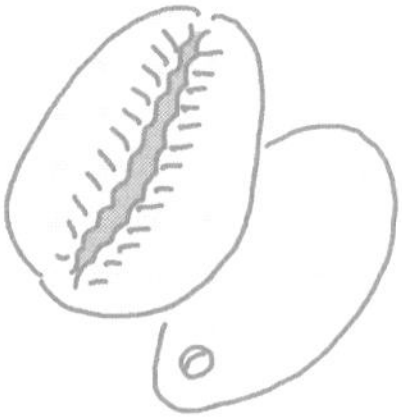

貝貨《ばいか》

光沢《こうたく》と形状《けいじょう》が珍《めずら》しいとされ、殷《いん》の時代《じだい》（紀元前《きげんぜん》1600年《ねん》ごろ～紀元前《きげんぜん》1100年《ねん》ごろ）に使《つか》われていました

布幣《ふへい》

田畑《たはた》を耕《たがや》すために必《ひつ》要《よう》な農具《のうぐ》の鋤《すき》をかたどったお金《かね》です。春《しゅん》秋時代《じゅうじだい》など紀元前《きげんぜん》に使《つか》われていました

石貨《せっか》

西太平洋《にしたいへいよう》のヤップ島《とう》で、第《だい》2次《じ》世界大戦《せかいたいせん》がはじまる前《まえ》まで使《つか》われていました

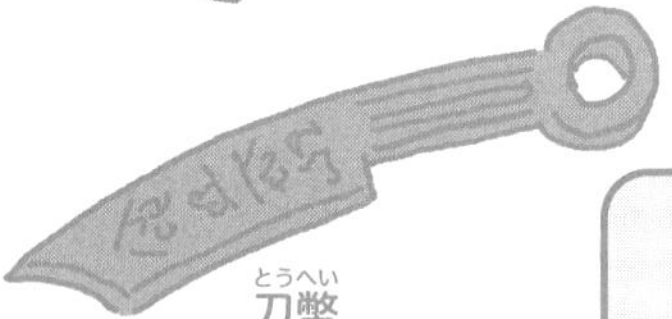

刀幣《とうへい》

紀元前《きげんぜん》の周《しゅう》・春秋《しゅんじゅう》・戦国時《せんごくじ》代《だい》に使《つか》われた、筆記《ひっき》で使《つか》う刃物《はもの》の形《かたち》をしたお金《かね》です

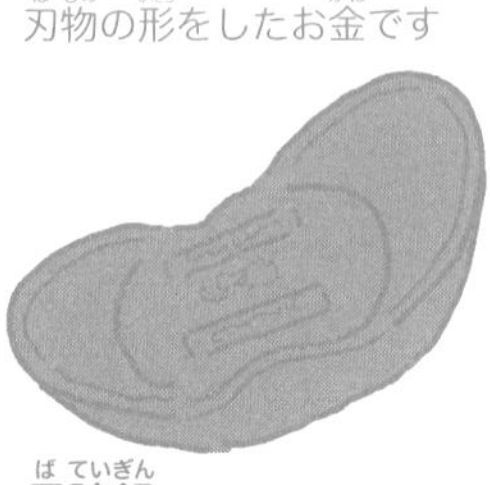

馬蹄銀《ばていぎん》

銀《ぎん》の量《りょう》で価格《かかく》を決《き》めるお金《かね》。明《みん》・清《しん》の時代《じだい》につくられました。馬《うま》の蹄《ひづめ》に似《に》ています

お金《かね》を意味《いみ》する貝《かい》がつく漢字《かんじ》

昔中国《むかしちゅうごく》で貝《かい》がお金《かね》だったため、お金《かね》に関《かん》する漢字《かんじ》には貝《かい》が入《はい》ったものがたくさんあります。

- **財《ざい》** 積《つ》み重《かさ》ねた金品《きんぴん》
- **貯《ちょ》** お金《かね》をたくわえる
- **貧《ひん》** お金《かね》が分散《ぶんさん》して貧《まず》しい
- **貨《か》** 交換《こうかん》して他《ほか》の品物《しなもの》に変《か》わる貝《かい》
- **資《し》** お金《かね》をそろえて用立《ようだ》てる
- **貸《たい》** お金《かね》を持《も》つ人《ひと》を肩《かた》がわりする
- **費《ひ》** ついやす、へらす
- **貴《き》** 価値《かち》が高《たか》いこと

世界《せかい》のさまざまなコイン

世界中《せかいじゅう》の国々《くにぐに》で発行《はっこう》されたコインを紹介《しょうかい》します。人々《ひとびと》が誇《ほこ》りに思《おも》っていることや、特徴《とくちょう》が形《かたち》に表《あらわ》れています

アジア

トラ（インド）

ベンガルトラはインドの大切《たいせつ》な国獣《こくじゅう》です

オセアニア

キーウィ（ニュージーランド）

ニュージーランドの国鳥《こくちょう》

アフリカ

クードゥー（南《みなみ》アフリカ共和国《きょうわこく》）

ウシ科《か》の動物《どうぶつ》。オスはねじれた角《つの》を持《も》つ

ヨーロッパ

詩人《しじん》ダンテの肖像《しょうぞう》（イタリア）

ヨーロッパの多《おお》くの国《くに》では単一通貨《たんいつつうか》のユーロが使《つか》われています。お金《かね》の片面《かためん》は共通《きょうつう》で、もう片面《かためん》は国《くに》ごとのデザイン

北《きた》アメリカ

自由《じゆう》の女神《めがみ》（アメリカ合衆国《がっしゅうこく》）

シンボル的《てき》な像《ぞう》です

南《みなみ》アメリカ

ナスカの地上絵《ちじょうえ》（ペルー共和国《きょうわこく》）

象徴的《しょうちょうてき》な遺跡《いせき》

めずらしい形《かたち》のお金《かね》

正方形《せいほうけい》

マレーシア

ダイヤモンド形《がた》

パキスタン

ホタテ貝形《がいがた》

モルディブ共和国《きょうわこく》

穴《あな》あき

フィリピン

ゴルフホール形《がた》

バハマ諸島《しょとう》

←バハマ諸島《しょとう》のコインには、なんとゴルフカップの穴《あな》が！

お金《かね》にはそれぞれの国《くに》の歴史《れきし》が詰《つ》まっている

西太平洋《にしたいへいよう》にあるミクロネシア連邦《れんぽう》のヤップ島《とう》には、大《おお》きな石《いし》のお金《かね》があります。石貨《せっか》といって、直径《ちょっけい》30センチメートルから、大《おお》きなものでは直径《ちょっけい》3メートルで重《おも》さが5トンのものもあるとか!? 重《おも》すぎて、持《も》ち運《はこ》んで使《つか》うのはとても無理《むり》ですね。

そのため、このお金《かね》は森《もり》の中《なか》などに据《す》え置《お》かれて持《も》ち主《ぬし》だけが変《か》わります。古《ふる》さや運《はこ》んだときに苦労《くろう》したものほど価値《かち》があるといいます。

貨幣《かへい》のデザインにはその国《くに》の歴史《れきし》や文化《ぶんか》が深《ふか》く関《かか》わっています。お金《かね》からは、その国《くに》の人々《ひとびと》が大切《たいせつ》にしていることが伝《つた》わってきます。

お金《かね》は暮《く》らしの変化《へんか》を映《うつ》す鏡《かがみ》

時代《じだい》	縄文時代《じょうもんじだい》)	古代《こだい》
そのころの様子《ようす》	狩《か》りや漁《りょう》、石器《せっき》・土器《どき》	木《き》の実《み》を集《あつ》める土器《どき》

どんな時代《じだい》？

狩猟《しゅりょう》や漁《りょう》、稲作《いなさく》

まだお金《かね》がない時代《じだい》

おたがいが持《も》っているものを交換《こうかん》する「物々交換《ぶつぶつこうかん》」

ここからは、日本《にほん》の歴史《れきし》の中《なか》で、お金《かね》がどのように生《う》まれて発展《はってん》していったかを見《み》ていきましょう。

縄文時代《じょうもんじだい》には、人々《ひとびと》は木《き》の実《み》や野《や》草《そう》を採集《さいしゅう》し、けものを狩《か》って暮《く》らしていました。**欲《ほ》しいものがあると自《じ》分《ぶん》の持《も》ち物《もの》と交換《こうかん》していました。**

物々交換《ぶつぶつこうかん》

魚《さかな》など傷《いた》みやすいものは持《も》ち運《はこ》びに不便《ふべん》。また、自分《じぶん》の持《も》っているものの中《なか》に相手《あいて》の欲《ほ》しいものがあるとは限《かぎ》らない

（　古墳時代《こふんじだい》　／　弥生時代《やよいじだい》　／

稲作《いなさく》が伝《つた》わる

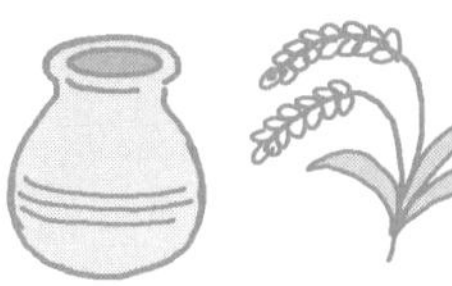

古墳《こふん》（王《おう》の墓《はか》）
大陸《たいりく》の文化《ぶんか》が伝《つた》わる

「米《こめ》・布《ぬの》・塩《しお》」と交換《こうかん》する「物品貨幣《ぶっぴんかへい》」になる

弥生時代《やよいじだい》には稲《いね》を育《そだ》てて収穫《しゅうかく》し、倉《くら》に米《こめ》を蓄《たくわ》えて暮《く》らしはじめました。やがて人々《ひとびと》は品物《しなもの》をあらかじめ「米《こめ》・布《ぬの》・塩《しお》」に替《か》えておき、欲《ほ》しいものと交換《こうかん》するようになりました。**保存《ほぞん》のできる「米《こめ》・布《ぬの》・塩《しお》」が、お金《かね》の役割《やくわり》をするようになったのです。**

物品貨幣《ぶっぴんかへい》

「米《こめ》・布《ぬの》・塩《しお》」は保存《ほぞん》ができ、みんなが必要《ひつよう》とするので交換《こうかん》しやすくなった。ちょっと重《おも》いのが難点《なんてん》

時代《じだい》	飛鳥時代《あすかじだい》	奈良時代《ならじだい》
そのころの様子《ようす》	593年《ねん》 聖徳太子《しょうとくたいし》摂政《せっしょう》に 683年《ねん》 富本銭《ふほんせん》つくられる 708年《ねん》 和同開珎《わどうかいちん(ほう)》つくられる	710年《ねん》 平城京《へいじょうきょう》に都《みやこ》を移《うつ》す 仏教《ぶっきょう》がさかんになる 752年《ねん》 東大寺大仏《とうだいじだいぶつ》つくられる

はじめてのお金《かね》

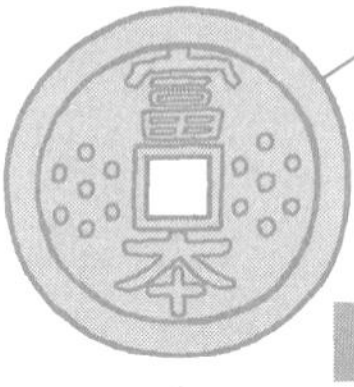

富本銭《ふほんせん》

貨幣《かへい》には「富夲《ふほん》」と刻《きざ》まれています。国《くに》を治《おさ》める人《ひと》たちの「国《くに》を富《と》ませ、民《たみ》を富《と》ませるもとになりますように」という願《ねが》いが込《こ》められています

中国《ちゅうごく》のお金《かね》をモデルに初《はじ》めて貨幣《かへい》がつくられる

飛鳥時代《あすかじだい》になると、いよいよ貨幣《かへい》が登場《とうじょう》します。 中国《ちゅうごく》の隋《ずい》や唐《とう》との行《ゆ》き来《き》が行《おこな》われるようになったことから、683年《ねん》に中国《ちゅうごく》の「開元通宝《かいげんつうほう》」という貨幣《かへい》をモデルに「富本銭《ふほんせん》」がつくられました。これが日本《にほん》で初《はじ》めてつくられた貨幣《かへい》といわれていて、奈良県《ならけん》の飛鳥池遺跡《あすかいけいせき》から大量《たいりょう》に発掘《はっくつ》されました。

708年《ねん》には、「和同開珎《わどうかいちん(ほう)》」がつくられました。当時《とうじ》の政府《せいふ》はこのお金《かね》を流通《りゅうつう》させようとして、使《つか》った人《ひと》に位《くらい》を与《あた》えたりしました。**しかし、物品交換《ぶっぴんこうかん》になれた人々《ひとびと》には、あまり使《つか》われませんでした。**

平安時代《へいあんじだい》

794年《ねん》 平安京《へいあんきょう》に都《みやこ》を移《うつ》す

貴族社会《きぞくしゃかい》が栄《さか》える

958年《ねん》 和同開珎《わどうかいちん(ほう)》などの皇朝十二銭《こうちょうじゅうにせん》発行終了《はっこうしゅうりょう》

和同開珎《わどうかいちん》

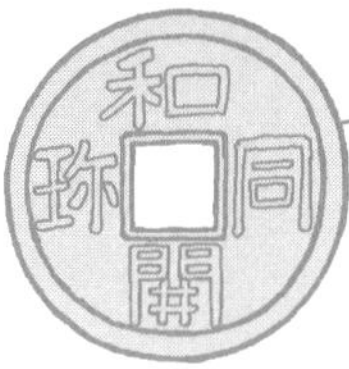

750年《ねん》ごろ、1000枚《まい》（1貫文《かんもん》）で約《やく》2石《こく》（10俵《ぴょう》）の米《こめ》が買《か》えました。
1俵《ぴょう》＝60kg

どんな社会《しゃかい》？

貴族社会《きぞくしゃかい》

物品貨幣《ぶっぴんかへい》と貨幣《かへい》が混在《こんざい》

奈良時代《ならじだい》、人々《ひとびと》は税《ぜい》を庸《よう》（麻《あさ》の布《ぬの》）と調《ちょう》（各地《かくち》の特産品《とくさんひん》）という品物《しなもの》で納《おさ》めていて、その品物《しなもの》は貴族《きぞく》や役人《やくにん》の給与《きゅうよ》となりました。貴族《きぞく》や役人《やくにん》は、市《いち》で給与《きゅうよ》の品物《しなもの》を貨幣《かへい》に替《か》えて買《か》い物《もの》をしたのです。

庸《よう》

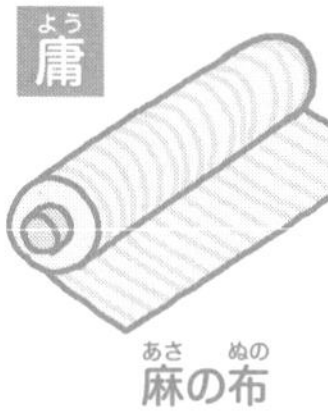

麻《あさ》の布《ぬの》

調《ちょう》

特産品《とくさんひん》

それから250年の間《あいだ》に、金貨《きんか》1種類《しゅるい》、銀貨《ぎんか》1種類《しゅるい》、銅銭《どうせん》12種類《しゅるい》がつくられました。その後《ご》、1587年《ねん》に豊臣秀吉《とよとみひでよし》が貨幣《かへい》をつくるまでの600年《ねん》もの間《あいだ》、日本《にほん》で貨幣《かへい》がつくられることはなく、中国《ちゅうごく》から輸入《ゆにゅう》した貨幣《かへい》が使《つか》われていました。

時代《じだい》	そのころの様子《ようす》
平安時代《へいあんじだい》	1170年《ねん》ごろから 平清盛《たいらのきよもり》、宋《そう》（中国《ちゅうごく》）との貿易《ぼうえき》をはじめる 中国《ちゅうごく》は宋《そう》の時代《じだい》（1279年《ねん》まで） 1185年《ねん》 平氏滅亡《へいしめつぼう》
鎌倉時代《かまくらじだい》	1185年《ねん》 源頼朝《みなもとのよりとも》 鎌倉幕府《かまくらばくふ》を開《ひら》く 1333年《ねん》 鎌倉幕府《かまくらばくふ》滅《ほろ》びる
	1333年《ねん》 建武《けんむ》の新政《しんせい》

宋《そう》（中国《ちゅうごく》）との「日宋貿易《にっそうぼうえき》」

平清盛《たいらのきよもり》は、大輪田泊《おおわだのとまり》（兵庫県神戸市《ひょうごけんこうべし》）を整《ととの》えて船《ふね》が入《はい》れる大《おお》きな港《みなと》をつくり、宋《そう》と船《ふね》で行《ゆ》き来《き》して交易《こうえき》しました

たくさんの貨幣《かへい》が入《はい》ってきて、ものの売《う》り買《か》いができるようになりました

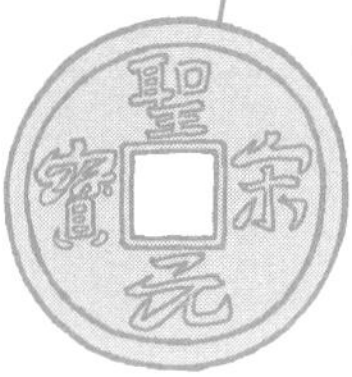

宋銭《そうせん》

いろいろな種類《しゅるい》がある

輸入《ゆにゅう》した中国《ちゅうごく》の貨幣《かへい》が全国《ぜんこく》で使《つか》われた

平安時代《へいあんじだい》の終《お》わりごろからは、日《に》本《ほん》で貨幣《かへい》はつくられず、中国《ちゅうごく》から輸入《ゆにゅう》していました。お金《かね》を輸入《ゆにゅう》するなんて、なんだか変《へん》ですね。でも、たくさんのお金《かね》が日本《にほん》に来《き》たことで、ようやく貨幣《かへい》は全国《ぜんこく》で使《つか》われるようになったのです。貨幣《かへい》はとても重要《じゅうよう》な輸入品《ゆにゅうひん》でした。

時代《じだい》を追《お》って、少《すこ》し詳《くわ》しく見《み》ていきましょう。

平安時代《へいあんじだい》の後期《こうき》からは、中国《ちゅうごく》の宋《そう》という国《くに》に砂金《さきん》を輸出《ゆしゅつ》し、代《か》わりに宋《そう》からは銅《どう》でできた貨幣《かへい》「宋銭《そうせん》」を輸入《ゆにゅう》しました。

1404年《ねん》には、中国《ちゅうごく》の明《みん》という

室町時代《むろまちじだい》	南北朝時代《なんぼくちょうじだい》
中国《ちゅうごく》は明《みん》の時代《じだい》 1404年《ねん》 勘合貿易《かんごうぼうえき》はじまる	

ニセ金《がね》の「びた銭《せん》」がたくさん出回《でまわ》って困《こま》る

たくさんの「永楽通宝《えいらくつうほう》」が使《つか》われるようになると、まねた貨幣《かへい》が勝手《かって》につくられるようになります。いわゆるニセ金《がね》で「びた銭《せん》」と呼《よ》ばれました。「びた銭《せん》」は価値《かち》が低《ひく》いため「びた一文《いちもん》」というと「わずかなお金《かね》」のたとえとなりました。

⬅明《みん》と貿易《ぼうえき》をはじめた足利義満《あしかがよしみつ》（室町幕府《むろまちばくふ》３代将軍《だいしょうぐん》）

永楽通宝《えいらくつうほう》（明銭《みんせん》）

銅《どう》でできている

室町幕府《むろまちばくふ》と明《みん》（中国《ちゅうごく》）が正式《せいしき》に貿易《ぼうえき》を始《はじ》め、ますます重要《じゅうよう》な輸入品《ゆにゅうひん》に

どんな時代《じだい》？

武家社会《ぶけしゃかい》

貴族《きぞく》が衰退《すいたい》し、武士《ぶし》が治《おさ》める

戦《いくさ》で闘《たたか》って勝利《しょうり》したり、内乱《ないらん》を治《おさ》める武力《ぶりょく》を持《も》つ武士《ぶし》が実《じっ》権《けん》を握《にぎ》るようになりました。中国《ちゅうごく》との交《こう》易《えき》も盛《さか》んになっていきます。

国《くに》と室町幕府《むろまちばくふ》との間《あいだ》に条約《じょうやく》が結《むす》ばれ、勘合貿易《かんごうぼうえき》がはじまりました。銅《どう》銭《せん》のなかでも「永楽通宝《えいらくつうほう》」がとりわけ好《この》まれ、全国各地《ぜんこくかくち》で開《ひら》かれる定期《ていき》市《いち》などで、普通《ふつう》に人々《ひとびと》が使《つか》うようになりました。貨幣《かへい》はますます重要《じゅうよう》な輸入品《ゆにゅうひん》となっていったのです。

時代《じだい》	室町時代《むろまちじだい》（戦国時代《せんごくじだい》）		
そのころの様子《ようす》	1467年《ねん》 応仁《おうにん》の乱《らん》	1526年《ねん》 石見《いわみ》（島根県《しまねけん》）で銀山発見《ぎんざんはっけん》！ 全国《ぜんこく》で金銀《きんぎん》の発掘《はっくつ》がさかんに	1573年《ねん》 室町幕府《むろまちばくふ》滅《ほろ》びる

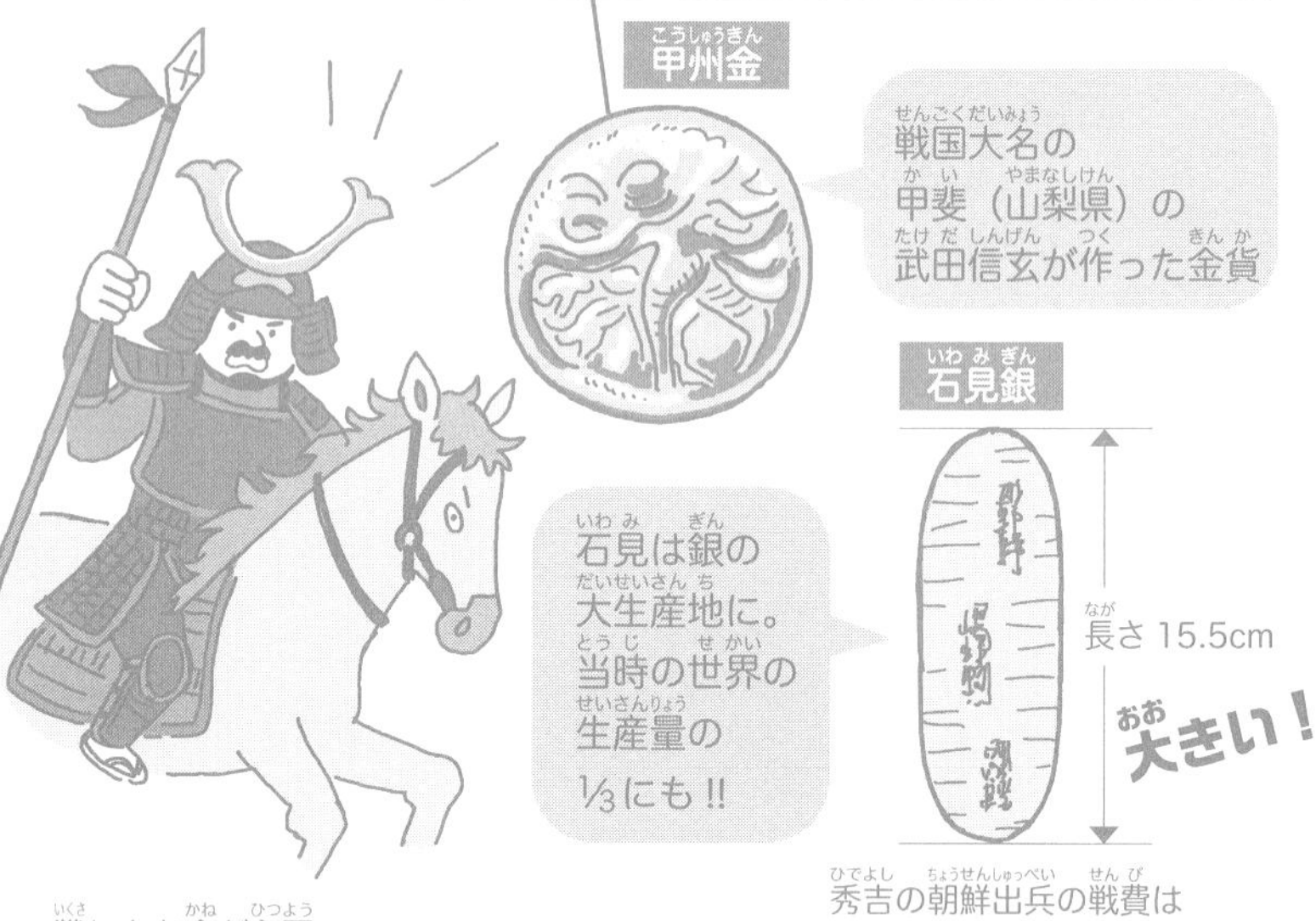
甲州金《こうしゅうきん》
戦国大名《せんごくだいみょう》の甲斐《かい》（山梨県《やまなしけん》）の武田信玄《たけだしんげん》が作《つく》った金貨《きんか》
石見銀《いわみぎん》
長《なが》さ 15.5cm
大《おお》きい！
石見《いわみ》は銀《ぎん》の大生産地《だいせいさんち》に。当時《とうじ》の世界《せかい》の生産量《せいさんりょう》の1/3にも!!

戦《いくさ》にもお金《かね》が必要《ひつよう》

秀吉《ひでよし》の朝鮮出兵《ちょうせんしゅっぺい》の戦費《せんぴ》は石見銀《いわみぎん》で支払《しはら》われた

金山《きんざん》・銀山《ぎんざん》の発見《はっけん》で金貨《きんか》・銀貨《ぎんか》がつくられるように

室町時代《むろまちじだい》の後半《こうはん》、戦国時代《せんごくじだい》といわれるころのことです。**1526年《ねん》に、石見《いわみ》（島根県《しまねけん》）の山《やま》で、銀《ぎん》の鉱《こう》山《ざん》が発見《はっけん》されました。たくさんの銀《ぎん》が産出《さんしゅつ》されるようになり、最盛期《さいせいき》には日本《にほん》の銀《ぎん》は当時《とうじ》の世界《せかい》の銀《ぎん》の産出《さんしゅつ》量《りょう》の3分《ぶん》の1もの量《りょう》になったのです。**

世《よ》の中《なか》に銀《ぎん》が出回《でまわ》るようになると、日本《にほん》の中《なか》で、お金《かね》を仲立《なかだ》ちにした品物《しなもの》のやりとりが活発《かっぱつ》になりました。

山《やま》の中《なか》から金銀《きんぎん》が出《で》てくるのですから、驚《おどろ》いたのは戦国大名《せんごくだいみょう》たちです。戦国大名《せんごくだいみょう》たちは自分《じぶん》の領国《りょうごく》でも金《きん》や銀《ぎん》が掘《ほ》れないかとさかんに探《さが》し、自《じ》

安土《あづち》・桃山時代《ももやまじだい》

華《はな》やかな文化《ぶんか》

1587年《ねん》
豊臣秀吉《とよとみひでよし》
金貨《きんか》・銀貨《ぎんか》を
つくる

1600年《ねん》
関ヶ原《せきがはら》の戦《たたか》い

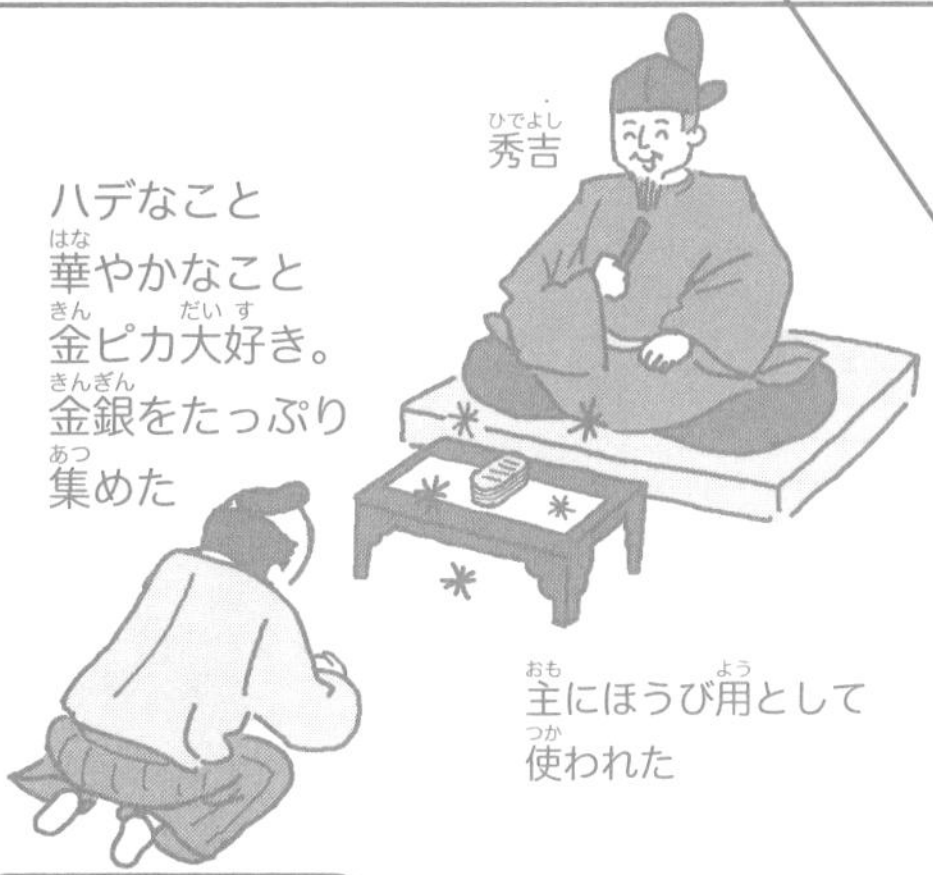

秀吉《ひでよし》
ハデなこと
華《はな》やかなこと
金《きん》ピカ大好《だいす》き。
金銀《きんぎん》をたっぷり
集《あつ》めた
主《おも》にほうび用《よう》として
使《つか》われた

天正長大判《てんしょうながおおばん》

天正菱大判《てんしょうひしおおばん》もある

世界最大級《せかいさいだいきゅう》の貨幣《かへい》。
長《なが》さ 17.5cm も！

どんな時代《じだい》？

戦国時代《せんごくじだい》

山《やま》から金《きん》や銀《ぎん》を掘《ほ》り出《だ》し、貨幣《かへい》をつくるようになる

応仁《おうにん》の乱《らん》ののち、力《ちから》を持《も》った戦国大名《せんごくだいみょう》が勝《か》ち残《のこ》っていく戦《せん》国時代《ごくじだい》になります。戦《いくさ》をするためには、お金《かね》が必須《ひっす》です。ちょうど金山《きんざん》や銀山《ぎんざん》が発見《はっけん》されたことで、世《よ》の中《なか》が大《おお》きく動《うご》き始《はじ》めました。

分《ぶん》たちで金貨《きんか》や銀貨《ぎんか》をつくるようになりました。よく知《し》られているのは、武田信玄《たけだしんげん》がつくった甲州金《こうしゅうきん》です。**1587年《ねん》には、豊臣秀吉《とよとみひでよし》が金貨《きんか》や銀貨《ぎんか》をつくりはじめます。1588年《ねん》には「天正長大判《てんしょうながおおばん》」や「天正菱《てんしょうひし》大判《おおばん》」という大《おお》きな貨幣《かへい》をつくりました。**これらは主《おも》にほうび用《よう》として利用《りよう》され、多《おお》くの人々《ひとびと》は相変《あいか》わらず明銭《みんせん》やびた銭《せん》を使《つか》っていました。

時代《じだい》 そのころの様子《ようす》

1601年《ねん》
金貨《きんか》・銀貨《ぎんか》つくられる

1603年《ねん》
徳川家康《とくがわいえやす》全国《ぜんこく》を統一《とういつ》
江戸幕府《えどばくふ》を開《ひら》く

貨幣《かへい》を鋳造《ちゅうぞう》・発行《はっこう》する銭座《ぜにざ》を設置《せっち》

1636年《ねん》
寛永通宝《かんえいつうほう》つくられる

藩《はん》ごとに「藩札《はんさつ》」がつくられる

慶長丁銀《けいちょうちょうぎん》（1601年《ねん》）

慶長一分金《けいちょういちぶきん》（1601年《ねん》）

慶長小判《けいちょうこばん》（1601年《ねん》）

縦《たて》7.3cm 横《よこ》3.9cm
重量《じゅうりょう》17.9g 金含有量《きんがんゆうりょう》84%

山田羽書《やまだはがき》 はじめてのお札《さつ》

1610年《ねん》ごろ日本《にほん》で最初《さいしょ》のお札《さつ》が生《う》まれる。伊勢山田《いせやまだ》（三重県《みえけん》）の商人《しょうにん》が貨幣《かへい》のおつりとして使《つか》ったのがはじまり。

寛永通宝《かんえいつうほう》（銅《どう》一文銭《もんせん》）

金銀銅《きんぎんどう》そろった「三貨制度《さんかせいど》」に

東日本《ひがしにほん》では金《きん》、西日本《にしにほん》では銀《ぎん》が使《つか》われていた

越前福井藩札《えちぜんふくいはんさつ》

⬆大名《だいみょう》の領国《りょうごく》である藩《はん》の中《なか》だけで使《つか》える紙《し》幣《へい》。貨幣《かへい》の不足《ふそく》を補《おぎな》うものでした。偽札防《にせさつぼう》止《し》のため、細《こま》かい模様《もよう》で透《す》かしが入《はい》っているものも

徳川家康《とくがわいえやす》が全国《ぜんこく》の貨幣制度《かへいせいど》を統一《とういつ》

徳川家康《とくがわいえやす》は戦国時代《せんごくじだい》を戦《たたか》い抜《ぬ》き、江戸《えど》に幕府《ばくふ》を開《ひら》いたことで、石見銀《いわみぎん》山《ざん》（島根県《しまねけん》）や佐渡金山《さどきんざん》（新潟県《にいがたけん》）などの重要《じゅうよう》な鉱山《こうざん》を直接支配《ちょくせつしはい》し、大《たい》量《りょう》の金銀《きんぎん》を手《て》に入《い》れました。そこで、**幕府《ばくふ》は大名《だいみょう》の領国《りょうごく》ごとにまちまちだった貨幣《かへい》を初《はじ》めて統一《とういつ》し、貨幣《かへい》が全国《ぜんこく》のどこでも使《つか》える仕組《しく》みをつくりました。**

金《きん》でできた「慶長小判《けいちょうこばん》」は、使《つか》うよりも貯蓄《ちょちく》や贈《おく》り物《もの》として利用《りよう》されました。銀《ぎん》でつくられた「慶長丁《けいちょうちょう》銀《ぎん》」は重《おも》さで価値《かち》が決《き》まりました。

1636年《ねん》に、3代将軍《だいしょうぐん》の徳川家《とくがわいえ》光《みつ》が「銭座《ぜにざ》」を設置《せっち》し、銅銭《どうせん》の「寛永《かんえい》

江戸時代《えどじだい》

1853年《ねん》 ペリー浦賀《うらが》に来《く》る

金貨《きんか》が海外《かいがい》に流出《りゅうしゅつ》

1867年《ねん》 明治天皇即位《めいじてんのうそくい》

外国商人《がいこくしょうにん》によって、金銀《きんぎん》が海外《かいがい》に流出《りゅうしゅつ》

江戸時代《えどじだい》の終《お》わりごろ、外国人《がいこくじん》がやってきました。すると、日本《にほん》と海外《かいがい》の金《きん》銀《ぎん》の交換比率《こうかんひりつ》の違《ちが》いを利用《りよう》して儲《もう》けようとする外国商人《がいこくしょうにん》によって、たくさんの金貨《きんか》が海外《かいがい》に流《なが》れてしまいました。

お花見《はなみ》を楽《たの》しむ町人《ちょうにん》たち

通宝《つうほう》」をつくりました。これにより「金銀銅《きんぎんどう》」の3種類《しゅるい》がそろいました。元禄時代《げんろくじだい》になると、幕府《ばくふ》はお金《かね》が足《た》りなくなりました。そこで、金貨《きんか》や銀貨《ぎんか》の質《しつ》を落《お》として枚数《まいすう》を増《ふ》やし、ピンチを切《き》り抜《ぬ》けようとしたところ、かえって物価《ぶっか》が上《あ》がり、人々《ひとびと》を苦《くる》しめる結果《けっか》となってしまいました。

どんな時代《じだい》？

町人文化《ちょうにんぶんか》

商業《しょうぎょう》が発達《はったつ》し、財力《ざいりょく》のある町人《ちょうにん》が力《ちから》を持《も》つように

人々《ひとびと》がさかんに貨幣《かへい》を使《つか》うようになると、商業《しょうぎょう》が発達《はったつ》していきます。代々年貢《だいだいねんぐ》からの米《こめ》の収入《しゅうにゅう》が決《き》まっている武士《ぶし》に対《たい》して、才覚《さいかく》しだいで稼《かせ》げる町人《ちょうにん》の力《ちから》が大《おお》きくなったのです。

時代《じだい》	そのころの様子《ようす》
明治時代《めいじじだい》	1868年《ねん》 全国《ぜんこく》で使《つか》える お札《さつ》登場《とうじょう》
	1871年《ねん》 造幣局創業《ぞうへいきょくそうぎょう》 （大阪《おおさか》） 大蔵省紙幣司《おおくらしょうしへいし》 （現《げん》 国立印刷局《こくりついんさつきょく》） 創設《そうせつ》（東京《とうきょう》）
	1885年《ねん》 日本銀行《にっぽんぎんこう》が 兌換銀券《だかんぎんけん》 「大黒札《だいこくさつ》」発行《はっこう》 金《きん》や銀《ぎん》と交換《こうかん》 できる
大正時代《たいしょうじだい》	1912年《ねん》 大正天皇即位《たいしょうてんのうそくい》

太政官札《だじょうかんさつ》

金壹兩
大政官
會計局

文明開化《ぶんめいかいか》の人々《ひとびと》

デザイン等《など》が単純《たんじゅん》なため、ニセ札《さつ》がたくさん出回《でまわ》ってしまいました
ドイツやアメリカにつくってもらうしかない……日本《にほん》でつくりたいよー

←「大黒札《だいこくさつ》」と親《した》しまれた初《はじ》めての「日本銀行券《にっぽんぎんこうけん》」

技術《ぎじゅつ》の高《たか》い貨幣《かへい》やお札《さつ》が全国《ぜんこく》に広《ひろ》まる

明治時代《めいじじだい》になると、近代的《きんだいてき》な貨幣《かへい》制度《せいど》を整《ととの》える必要《ひつよう》が出《で》てきました。そこで、明治政府《めいじせいふ》は造幣局《ぞうへいきょく》と大蔵省《おおくらしょう》紙幣司《しへいし》（今《いま》の国立印刷局《こくりついんさつきょく》）を創設《そうせつ》して、それぞれ貨幣《かへい》と紙幣《しへい》をつくるようになりました。

1868年《ねん》、初《はじ》めての日本全国《にほんぜんこく》で使《つか》えるお札《さつ》「太政官札《だじょうかんさつ》」が登場《とうじょう》。ところが、デザインやつくり方《かた》が単純《たんじゅん》だったために、ニセ札《さつ》がたくさんできてしまいました。そこで、印刷技《いんさつぎ》術《じゅつ》の発達《はったつ》しているドイツで「新紙《しんし》幣《へい》」をつくってもらったのです。

全国《ぜんこく》の民間《みんかん》の銀行《ぎんこう》からはアメリカでつくってもらった「国立銀行紙幣《こくりつぎんこうしへい》」

令和《れいわ》	平成時代《へいせいじだい》	昭和時代《しょうわじだい》
2024年《ねん》 新札登場《しんさつとうじょう》 2019年《ねん》 浩宮徳仁《ひろのみやなるひと》天皇《てんのう》に即位《そくい》	1989年《ねん》 継宮明仁《つぐのみやあきひと》天皇《てんのう》に即位《そくい》	1927年《ねん》 金融恐慌《きんゆうきょうこう》おこる 1926年《ねん》 昭和天皇即位《しょうわてんのうそくい》

200円券《えんけん》

片面《かためん》だけのお札《さつ》（裏白札《うらじろさつ》）

表《おもて》

裏《うら》

お札《さつ》が足《た》りなくなる！
大急《おおいそ》ぎでつくったので
裏《うら》が白《しろ》いまま

2024年《ねん》から発行《はっこう》

新一万円札《しんいちまんえんさつ》 渋沢栄一《しぶさわえいいち》

新五千円札《しんごせんえんさつ》 津田梅子《つだうめこ》

新千円札《しんせんえんさつ》 北里柴三郎《きたさとしばさぶろう》

お札《さつ》はつねにニセ札《さつ》との戦《たたか》い。その時代《じだい》の最高《さいこう》の印刷《いんさつ》技術《ぎじゅつ》と工夫《くふう》がこらされているよ

が発行《はっこう》されました。その後《ご》、機械《きかい》も技術者《ぎじゅつしゃ》も外国《がいこく》から招《まね》いて教《おし》えてもらいながら日本《にほん》でつくるように。1871年《ねん》には貨幣《かへい》に「円《えん》」が生《う》まれ、金貨《きんか》・銀貨《ぎんか》・銅貨《どうか》が発行《はっこう》されました。

1882年《ねん》、日本《にほん》の中央銀行《ちゅうおうぎんこう》である日本銀行《にっぽんぎんこう》が創設《そうせつ》され、1885年《ねん》に初《はじ》めての「日本銀行券《にっぽんぎんこうけん》」が発行《はっこう》に。券面《けんめん》に書《か》かれた金額《きんがく》の金《きん》や銀《ぎん》と交換《こうかん》できるようになりました。

どんな時代《じだい》？

経済《けいざい》が動《うご》く

世界《せかい》の中《なか》の日本《にほん》として、お金《かね》が重要《じゅうよう》な役割《やくわり》に

開国《かいこく》して世界《せかい》とやり取《と》りをするために、国《くに》をあげて貨幣《かへい》と紙幣《しへい》をつくり始《はじ》めます。その後《ご》、千円札《せんえんさつ》などの日本銀行券《にっぽんぎんこうけん》や、10円《えん》などのコインもつくられるように。2024年《ねん》には新《しん》デザインのお札《さつ》も登場《とうじょう》します。

コラム❶ 教《おし》えて先生《せんせい》！ 子《こ》どものころのこと

習《なら》い事《ごと》のあとでお菓子《かし》を買《か》うのが楽《たの》しみ

小学生《しょうがくせい》のころ、週末《しゅうまつ》にピアノ教室《きょうしつ》や書《か》き方教室《かたきょうしつ》に通《かよ》っていたよ。親《おや》からおこづかいを300円《えん》くらいもらって、お稽《けい》古《こ》の帰《かえ》り道《みち》に駄菓子屋《だがしや》さんに寄《よ》ってお菓子《かし》を買《か》うのが楽《たの》しみだったな。習《なら》い事《ごと》が好《す》きなわけではなかったけれど、駄《だ》菓子屋《がしや》さんへの寄《よ》り道《みち》は小《ちい》さな喜《よろこ》びだった。

大人《おとな》になった今《いま》は、おこづかいのもらい方《かた》や使《つか》い方《かた》をポジティブな方向《ほうこう》に変《か》えることで、世《よ》の中全体《なかぜんたい》や社会《しゃかい》が変《か》わっていくように思《おも》う。苦難《くなん》の代償《だいしょう》にもらうよりも、よいことをしたときや親《おや》の手伝《てつだ》いをしたときなど、前向《まえむ》きなタイミングでおこづかいがもらえるといいかもしれないね。

堅田雄太《かたたゆうた》さん

2章《しょう》

中級編《ちゅうきゅうへん》

お金《かね》はどう使《つか》ったらいいの？

自分《じぶん》が欲《ほ》しいものを買《か》ったり楽《たの》しんだりするためにおこづかいを使《つか》うよね。だけど、「生《い》きたお金《かね》の使《つか》い方《かた》」はそれだけじゃない。人《ひと》のために役立《やくだ》たせたり、未《み》来《らい》をよくするためだったり……。どんなお金《かね》の使《つか》い方《かた》があるのか、見《み》てみよう。

第《だい》2話《わ》
お金《かね》は「買《か》う」だけじゃない？

おかえり
毎日《まいにち》練習《れんしゅう》がんばってるな
うん!
新《あたら》しいボールのおかげで練習《れんしゅう》が楽《たの》しいんだ
よかったなぁ ばあちゃんに言《い》ったか? ボール買《か》ったよ〜って
…まだ
だって全部《ぜんぶ》使《つか》いきってないし
残《のこ》りのお金《かね》のことずっと考《かんが》えてるんだけど
…なに買《か》ったらいいんだろ

ゲームとかお菓子《かし》とかで本当《ほんとう》にいいのかなって…
もちろんいいに決《き》まってる
それも学《がく》の好《す》きなものだろ?
……
…学《がく》
お金《かね》は「ものを買《か》う」だけのものじゃないって知《し》ってるか?
手紙《てがみ》にも「何《なに》を買《か》ったか」じゃなくて
「何《なに》に使《つか》ったか」教《おし》えてねって書《か》いてあったろ?
いっぱい学んで素敵な大人になってね。
それから、
一万円は必ず使い切ること。
何に使ったか、ばぁちゃんに
教えてね。
学のことが大好きな
そういえば
形《かたち》のないものにもお金《かね》は使《つか》えるんだ
学《がく》の大事《だいじ》で好《す》きなものを思《おも》い浮《う》かべてごらん

う〜〜〜ん…
思《おも》い浮《う》かべたものにどうお金《かね》が使《つか》われると思《おも》う？
…おばあちゃんの部屋《へや》入《はい》っていい？
ああついでに水《みず》あげといてくれ
ザ
カチャ
ガラ

…サッカー
サッカーボール
ちょろろ〜
練習《れんしゅう》…
サッカークラブ…
そういえば
サッカークラブに
通《かよ》うには
お金《かね》がかかるけど
ものを買《か》ってる
わけじゃないな
じゃあ誰《だれ》に
払《はら》ってるんだ？
コーチ？
払《はら》ったお金《かね》の
行方《ゆくえ》は…？
う〜ん…
はっ
お金《かね》を
払《はら》ってくれて
いたのは…
いいんですか？
お義母《かあ》さん

学《がく》のサッカー代《だい》…
あら いいのよ 出《だ》させてちょうだい
私《わたし》がサッカーをしている学《がく》を見《み》ていたいだけなんだから

消費《しょうひ》

お金《かね》を使《つか》うと世《よ》の中《なか》が回《まわ》る

買《か》い物《もの》は一番《いちばん》身近《みぢか》で簡単《かんたん》な「生《い》き方《かた》の主張《しゅちょう》」

お金《かね》を使《つか》うと何《なに》が起《お》こる？
靴《くつ》が欲《ほ》しい
シューズ店《てん》へ
欲《ほ》しいシューズは
・色《いろ》
・デザイン
・ニューモデル
・憧《あこが》れの選手《せんしゅ》が履《は》いていたもの
・カッコよさ
店員《てんいん》さんのオススメ
友《とも》だちのオススメ
欲《ほ》しいものが手《て》に入《はい》る
5000
100
10
お財布《さいふ》の中身《なかみ》がなくなる

この章《しょう》の案内人《あんないにん》
堅田雄太《かたたゆうた》さん

買《か》うものにはその人《ひと》の本音《ほんね》が表《あらわ》れる

買《か》おうか迷《まよ》っているものが2つあるとき、それらをつくっている会社《かいしゃ》を調《しら》べてみましょう。ホームページをのぞくと一方《いっぽう》は「環境《かんきょう》にやさしい」取《と》り組《く》みをしていて、もう片方《かたほう》は配慮《はいりょ》をしていません。このとき、どちらの商品《しょうひん》を買《か》って取《と》り組《く》みを応援《おうえん》するかに、あなたの意思《いし》が表《あらわ》れます。

買《か》い物《もの》には
シンプルな
「好《す》き」「嫌《きら》い」が
表《あらわ》れる
これに決《き》めた！

理由《りゆう》はないけど
気《き》に入《い》ったから！

「どんな世《よ》の中《なか》にしたいか」は、自《じ》分《ぶん》のお金《かね》の使《つか》い方《かた》で決《き》められます。買《か》い物《もの》は、一番簡単《いちばんかんたん》で身近《みぢか》な「生《い》き方《かた》の主張《しゅちょう》」なのです。

その行動《こうどう》が未来《みらい》の風景《ふうけい》を変《か》える

目《め》の前《まえ》にある商品《しょうひん》は、お金《かね》を使《つか》う人《ひと》の意思《いし》によってできたもの。過去《かこ》に生《い》きてきた人《ひと》の意思《いし》によって、今《いま》の世《よ》の中《なか》ができているのです。つまり、「今《いま》、どうお金《かね》を使《つか》うか」によって、未来《みらい》が変《か》わっていくのです。

どっちを買《か》う？
とっても安《やす》い！
たくさん買《か》える！
シャツ
お菓子《かし》
CHOCO
1000
でも
なんで
そんなに
安《やす》いの？
海外《かいがい》で
子《こ》どもたちが
安《やす》く働《はたら》かされている？
材料《ざいりょう》が悪《わる》い？
誰《だれ》かがガマンしているかも？

商品《しょうひん》の裏《うら》にあるストーリーを考《かんが》えてみよう

例《たと》えば、似《に》た商品《しょうひん》で値段《ねだん》の高《たか》いものと安《やす》いものがあったら、あなたはどちらを買《か》いますか？　迷《まよ》わず安《やす》い商品《しょうひん》を買《か》ってしまいそう。でも、なんでそんなに安《やす》いのかな？

高《たか》い商品《しょうひん》は、品質《ひんしつ》がよいうえに困《こま》っている人《ひと》への寄付金《きふきん》などが含《ふく》まれていることもあります。

一方《いっぽう》で、とても安《やす》い商品《しょうひん》には、安《やす》さを追《お》い求《もと》めるためにどこかで無理《むり》をしていることもあるのです。

お金《かね》はその商品《しょうひん》を応援《おうえん》する力《ちから》を持《も》っています。ただ、その力《ちから》が誰《だれ》かを困《こま》らせることに使《つか》われてしまう怖《こわ》さもあることを知《し》っておきましょ

う。どちらのストーリーを応援《おうえん》するかは、あなたしだいです。

高《たか》いから少《すこ》ししか買《か》えない

ブラウス

困《こま》っている人《ひと》への寄付金付《きふきんつ》き

※フェアトレードの商品《しょうひん》
※主《おも》に発展途上国《はってんとじょうこく》の働《はたら》き手《て》のために貿易《ぼうえき》の仕組《しく》みを公平《こうへい》・公正《こうせい》にする

環境《かんきょう》にやさしいものづくり

じゃあ なんで値段《ねだん》が高《たか》いの？

「よくしたいもの」「こうなるといいな」にお金《かね》を使《つか》ってみよう

企業努力《きぎょうどりょく》でよいものが手《て》ごろ価格《かかく》のこともある

限《かぎ》られたおこづかいの中《なか》から、貴重《きちょう》なお金《かね》を出《だ》すのですから、安《やす》くてよいものを買《か》いたいですよね。

企業《きぎょう》が努力《どりょく》をして、ムダをなくしたり、ロボットやＡＩ《エーアイ》を利用《りよう》するなどしてよい商品《しょうひん》を安《やす》くつくっているケースもたくさん。意識《いしき》して見《み》ていると、企業《きぎょう》のそんな取《と》り組《く》みもわかってきます。

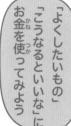

お金《かね》は未来《みらい》をつくる「投票券《とうひょうけん》」

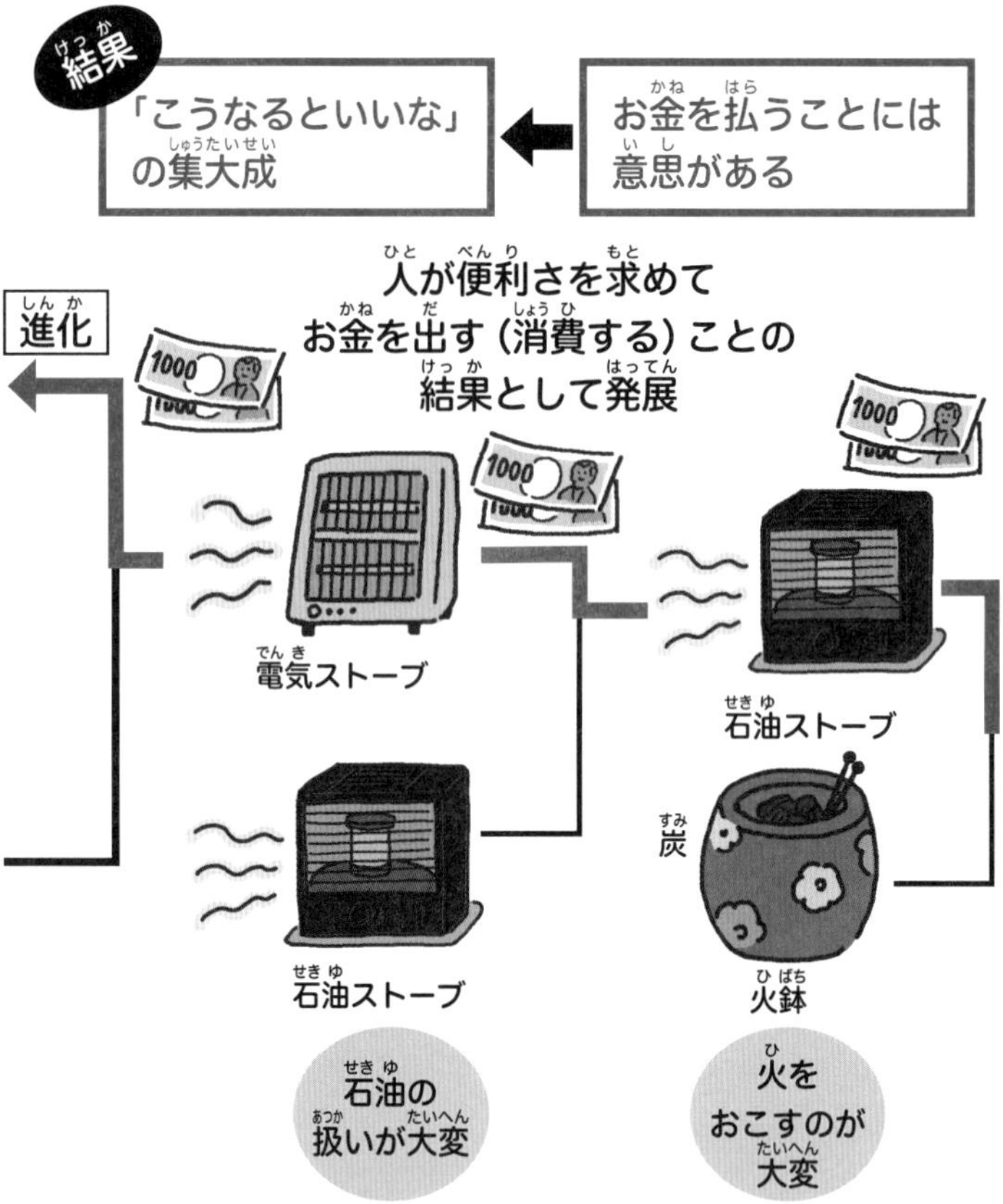
結果《けっか》
「こうなるといいな」の集大成《しゅうたいせい》
お金《かね》を払《はら》うことには意思《いし》がある
人《ひと》が便利《べんり》さを求《もと》めてお金《かね》を出《だ》す（消費《しょうひ》する）ことの結果《けっか》として発展《はってん》
進化《しんか》
電気《でんき》ストーブ
石油《せきゆ》ストーブ
炭《すみ》
火鉢《ひばち》
石油《せきゆ》ストーブ
石油《せきゆ》の扱《あつか》いが大変《たいへん》
火《ひ》をおこすのが大変《たいへん》

「自分《じぶん》がつくりたい未来《みらい》」に投票《とうひょう》しよう

もしあなたがお金《かね》を持《も》っていたら、「将来《しょうらい》、こうなるといいな」という未来《みらい》のイメージに近《ちか》づきそうな商品《しょうひん》に、お金《かね》を出《だ》して買《か》いましょう。

そのお金《かね》は、「未来《みらい》をつくる投票《とうひょう》券《けん》」です。あなたが大人《おとな》になるまでには、1年《ねん》は365日《にち》、10年《ねん》は3650と2、3日《にち》。きっと何万回《なんまんかい》もの買《か》い物《もの》をしているでしょう。それはすべて「未来《みらい》への投票《とうひょう》」になり、未来《みらい》の風景《ふうけい》を変《か》えることができるのです。

あなたは買《か》い物《もの》をすることで、りっぱな市民《しみん》として「世《よ》の中《なか》に参加《さんか》」しているのです。どうどうと「自分《じぶん》がつくりたい未来《みらい》」に投票《とうひょう》しましょう。

その一方《いっぽう》で 不便《ふべん》さが大切《たいせつ》にされて残《のこ》るものもある

今《いま》や大《だい》ブームのキャンプ。
わざわざ不便《ふべん》さを楽《たの》しむ！

この火《ひ》がイイんだよね…
アナログだからこその味《あじ》わい
うちわ

エアコン
場所《ばしょ》をとらない
扱《あつか》いがラク
温度調整《おんどちょうせい》しやすい

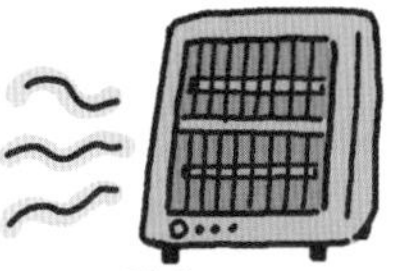
電気《でんき》ストーブ
倒《たお》れると火事《かじ》が心配《しんぱい》

ファストフード店《てん》も、投票《とうひょう》されてこそ残《のこ》る

街《まち》のファストフード店《てん》やショップも、人々《ひとびと》が気《き》に入《い》って買《か》い、お店《みせ》を応援《おうえん》しているからこそ営業《えいぎょう》を続《つづ》けていけるのです。

あなたがお店《みせ》で食《た》べたり服《ふく》を買《か》ったりした「投票券《とうひょうけん》」も、お店《みせ》の未来《みらい》をつくっています。

古《ふる》きよきものを残《のこ》すのは、人《ひと》の心《こころ》しだい

進化《しんか》の一方《いっぽう》で、うちわのような古《ふる》くから使《つか》われているよいものもある。不便《ふべん》な野山《のやま》でのキャンプも楽《たの》しい。便利《べんり》さだけでは語《かた》れないのです。「残《のこ》したいものにお金《かね》を使《つか》う」ことも大切《たいせつ》です。

視聴率《しちょうりつ》が勝負《しょうぶ》
好《す》きな番組《ばんぐみ》を観《み》る

テレビ

民放《みんぽう》の番組《ばんぐみ》は広告収入《こうこくしゅうにゅう》でつくられるので、視聴率《しちょうりつ》に左右《さゆう》されます。

SNS《エスエヌエス》
プラットフォーム
など
ビュー数《すう》で
広告収入《こうこくしゅうにゅう》が
入《はい》る

パソコン

インターネット経由《けいゆ》のSNS《エスエヌエス》は、閲覧《えつらん》数《すう》（ビュー）が大事《だいじ》。たくさん見《み》られているサイトに広告収入《こうこくしゅうにゅう》が入《はい》ります

「いいね」を押《お》すだけで、企業《きぎょう》を応援《おうえん》できる

これまで、おこづかいの使《つか》い方《かた》で世《よ》の中《なか》に参加《さんか》できる、とお話《はな》ししてきました。「私《わたし》はおこづかいをもらっていないから、世《よ》の中《なか》には参加《さんか》できない」と思《おも》っている人《ひと》はいませんか?

おこづかいを持《も》っていなくても、**スマートフォンのSNS《エスエヌエス》で「いいね」ボタンをポチッと押《お》せば、商品《しょうひん》をつくっている企業《きぎょう》を応援《おうえん》することができます。これもりっぱな「投票券《とうひょうけん》」**。お金《かね》を使《つか》わなくてもできる、世《よ》の中《なか》への参加《さんか》の仕方《しかた》を工夫《くふう》してみましょう。

スマートフォン

スマートフォンはもっとも身近《みぢか》で手放《てばな》せないアイテム。課金《かきん》しなくても、見《み》ているだけで応援《おうえん》になるシステムがいっぱい

YouTube《ユーチューブ》など
動画配信《どうがはいしん》
チャンネル登録《とうろく》
するだけでも
応援《おうえん》になる

消費

おこづかい、どんなふうにもらってる？

お金を使うと世の中が回る

毎月《まいつき》決《き》まった額《がく》をもらっている

自分《じぶん》で1か月《げつ》の過《す》ごし方《かた》を考《かんが》えながら使《つか》ってほしい、という親《おや》心《こころ》。現実《げんじつ》には、月始《つきはじ》めにほとんど使《つか》い切《き》ってしまう子《こ》も多《おお》いのでは？

両親《りょうしん》それぞれからもらう「ダブルポケット」

いつもはママからおこづかいをもらっているけれど、買《か》いたいときにはパパにもおねだりできる。「親《おや》の愛《あい》」をフルに生《い》かしたもらい方《かた》。

必要《ひつよう》なときに「理由《りゆう》」を説明《せつめい》し、お金《かね》をもらう

小学生《しょうがくせい》のうちは多《おお》いスタイル。親《おや》の「何《なに》に使《つか》うの？」攻撃《こうげき》を熱意《ねつい》と必要性《ひつようせい》で突破《とっぱ》して、欲《ほ》しいものを手《て》に入《い》れる。

勉強《べんきょう》に習《なら》い事《ごと》……。がんばったごほうび

帰《かえ》りにお菓子《かし》を買《か》うのを楽《たの》しみに、苦手《にがて》なレッスンを休《やす》まない、という人《ひと》も多《おお》いのでは？　小《ちい》さな幸《しあわ》せは意外《いがい》に大事《だいじ》。

お金《かね》との付《つ》き合《あ》い方《かた》は「使《つか》うこと」から始《はじ》まる

ちょっと自分《じぶん》の部屋《へや》やリビングの中《なか》を見回《みまわ》してみましょう。**あなたが買《か》ったもののすべてに、あなたの意思《いし》が宿《やど》っています。部屋《へや》の中《なか》のグッズは、あなたの意思《いし》の集合体《しゅうごうたい》**なのです。そして、その意思《いし》は、確実《かくじつ》に未来《みらい》に影響《えいきょう》します。

あなたは今《いま》までどおりに好《す》きなものを買《か》ってかまいません。ただ、**買《か》うときに「なんとなく」ではなく、自分《じぶん》の気持《きも》ちを確《たし》かめて「ちゃんと自分《じぶん》で考《かんが》えて決《き》めて買《か》う」ようにしましょう。ただそれだけで、あなたの望《のぞ》む未来《みらい》が近《ちか》づきます。**

お手伝《てつだ》いをしてお礼《れい》としてもらう

お家《うち》の手伝《てつだ》いなどをしたときにもらう。「働《はたら》いてお金《かね》を得《え》る」ことを大切《たいせつ》にしている。役《やく》に立《た》つことが形《かたち》になってちょっぴりうれしい。

お正月《しょうがつ》のお年玉《としだま》を少《すこ》しずつ使《つか》う

お年玉《としだま》を握《にぎ》りしめて大《おお》きな買《か》い物《もの》をする人《ひと》がいる一方《いっぽう》で、まとまったおこづかいとして少《すこ》しずつ使《つか》う人《ひと》も。計画性《けいかくせい》が養《やしな》えそう。

欲《ほ》しいものがあったら親《おや》に買《か》ってもらう

小学生《しょうがくせい》のうちは、まだこのスタイルの家庭《かてい》も。成長《せいちょう》の様子《ようす》をみながら、いずれお金《かね》を手《て》にできるようになるのを楽《たの》しみに。

祖父母《そふぼ》からの「そっとカバーアップ」

「お母《かあ》さんにはナイショよ」と、親《おや》の知《し》らないところで祖父母《そふぼ》からもらうケース。祖父母《そふぼ》にとっては大事《だいじ》なコミュニケーション。

「買《か》わなきゃよかった」という失敗《しっぱい》もしてみよう

あなたは両親《りょうしん》から、どのようにおこづかいをもらっていますか。そのおこづかいは、あなたにとってとても貴重《きちょう》なもの。**大事《だいじ》だからこそ、自分《じぶん》が共感《きょうかん》できるものを買《か》ってほしい。そして、お金《かね》を使《つか》い切《き》ってみてほしいのです。**

すると、「たくさん買《か》いすぎた！」「買《か》うんじゃなかった！」などと、あとから後悔《こうかい》することもあるでしょう。そんな失敗《しっぱい》をなるべく早《はや》いうちにすることです。**「あのとき買《か》って失敗《しっぱい》したから、次《つぎ》はあれを買《か》おう」などと反省《はんせい》したりして、失敗《しっぱい》から学《まな》ぶことは多《おお》いのです。**

困《こま》っている人《ひと》を助《たす》けるもの

寄付《きふ》

困《こま》っている人《ひと》を
もので助《たす》ける

何《なに》かを必要《ひつよう》として困《こま》っている人《ひと》がいたら、持《も》っているものを渡《わた》して助《たす》けたくなります。もので助《たす》けるのも「寄付《きふ》」です

この章《しょう》の案内人《あんないにん》

山崎《やまざき》 孝《たかし》さん

寄付《きふ》すると売《う》り買《か》いが増《ふ》えて世《よ》の中《なか》がイキイキする

「寄付《きふ》」と聞《き》いて何《なに》を思《おも》い浮《う》かべますか？　駅前《えきまえ》で募金箱《ぼきんばこ》を持《も》っている人《ひと》、コンビニのレジ横《よこ》の箱《はこ》などがよく知《し》られていますね。最近《さいきん》ではインターネットでも寄付《きふ》ができるようになっています。

寄付《きふ》はゆとりのある人《ひと》や団体《だんたい》が、困《こま》っている人《ひと》や団体《だんたい》を助《たす》けるすばらしい行《おこな》いであると同時《どうじ》に、もう1つ、とても大切《たいせつ》なこともしています。それは、**寄付《きふ》をすることで、「社会全体《しゃかいぜんたい》のお金《かね》とものの流《なが》れを活《かっ》発《ぱつ》にさせる」**ことです。

寄付《きふ》

困《こま》っている人《ひと》をお金《かね》で助《たす》ける

みんながお金《かね》を出《だ》し合《あ》えば、困《こま》っている状態《じょうたい》にピッタリ合《あ》ったものを買《か》うことができます

寄付《きふ》したお金《かね》が使《つか》われて「新《あら》たな消費《しょうひ》」が生《う》まれる

例《たと》えば、サッカーのボールが足《た》りなくて困《こま》っているチームに、誰《だれ》かが寄付《きふ》をしたとします。すると、そのサッカーチームは新《あたら》しいボールを買《か》い、残《のこ》ったお金《かね》でゴールネットの修《しゅう》理《り》までできました。

このとき、寄付《きふ》のおかげで、ボールが売《う》れたり、ゴールの修理《しゅうり》という仕事《しごと》ができてお金《かね》が使《つか》われたのです。

少《すこ》し難《むずか》しい言《い》い回《まわ》しをすると、「寄付《きふ》によって新《あら》たな消費《しょうひ》が生《う》まれた」のです。私《わたし》たちはこの「つながりの連鎖《れんさ》」の中《なか》で、お互《たが》いを助《たす》け合《あ》って暮《く》らしています。

寄《き》付《ふ》にはいろいろなかたちがある

時間《じかん》
コートの
確保《かくほ》
お金《かね》
コーチを
招《まね》く
時間《じかん》
お弁当《べんとう》
飲《の》み物《もの》用意《ようい》
備品《びひん》
物資《ぶっし》（もの）
ボール
ケース
ネットなど
子《こ》どもの
バレーボールチーム

自分《じぶん》でもできる方法《ほうほう》で人《ひと》を助《たす》ける

あなたがやっている活動《かつどう》は、たくさんの人《ひと》のいろいろな「寄付《きふ》の心《こころ》」に支《ささ》えられて成《な》り立《た》っています。それを頭《あたま》に入《い》れておきましょう。

寄付《きふ》には、**不足《ふそく》している「お金《かね》」や「もの」を補《おぎな》う方法《ほうほう》がありますね。また、お金《かね》やものがなくてもできる方法《ほうほう》があります。それは、「時間《じかん》を使《つか》う」こと。**例《たと》えばスポーツクラブなら、子《こ》どもたちのコーチをしたり食事《しょくじ》などのサポートに自分《じぶん》の時間《じかん》を使《つか》うのも「行動《こうどう》による寄付《きふ》」です。

寄付《きふ》は巡《めぐ》りめぐって、やがて「幸《こう》福感《ふくかん》」や「社会《しゃかい》とのつながり」というかたちで自分《じぶん》に返《かえ》ってきます。

身近《みぢか》なところでも寄付《きふ》は行《おこな》われている

上手《じょうず》な親《おや》や卒業生《そつぎょうせい》がコーチしてくれた「寄付《きふ》の心《こころ》」は、やがてあなたが成長《せいちょう》したときに子《こ》どもたちに教《おし》えることで返《かえ》してもよいのです。そうやって、「寄付《きふ》の心《こころ》」を次《つぎ》の世代《せだい》にずっとつなげていけるといいですね。

大人《おとな》になって

今《いま》すぐお返《かえ》しできなくても助《たす》けてもらったことはしっかり覚《おぼ》えておこう
卒業《そつぎょう》して大人《おとな》になったら今度《こんど》はコーチとしてどこかのチームにお返《かえ》しする

将来《しょうらい》

助《たす》け合《あ》いの循環《じゅんかん》

寄付《きふ》は返《かえ》ってくる
寄付《きふ》されたら
別《べつ》のかたちでいつか
誰《だれ》かに返《かえ》そう

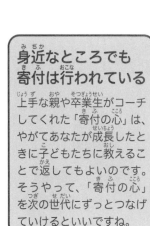

さまざまな募金活動《ぼきんかつどう》

赤《あか》い羽根共同募金《はねきょうどうぼきん》

赤《あか》い羽根《はね》をシンボルとし、各《かく》都道府県《とどうふけん》の共同募金会《きょうどうぼきんかい》が社会《しゃかい》福祉《ふくし》のための活動《かつどう》に集《あつ》まったお金《かね》を配布《はいふ》します。

- 地域《ちいき》をよくするために使用《しよう》
- 社会福祉法《しゃかいふくしほう》113条《じょう》
- 毎年《まいとし》10月1日《がつついたち》〜翌《よく》3月《がつ》31日《にち》
- 各都道府県《かくとどうふけん》の共同募金会《きょうどうぼきんかい》

地域歳末《ちいきさいまつ》たすけあい運動《うんどう》

- 生活困窮者《せいかつこんきゅうしゃ》や孤立《こりつ》する人々《ひとびと》を支援《しえん》
- 毎年《まいとし》12月1日《がつついたち》〜12月《がつ》31日《にち》
- 社会福祉協議会《しゃかいふくしきょうぎかい》など

青《あお》い羽根募金《はねぼきん》

- 海《うみ》での遭難《そうなん》の救助活動《きゅうじょかつどう》をするボランティアを支援《しえん》
- 通年《つうねん》（海遊《うみあそ》びが盛《さか》んな7月《がつ》〜8月《がつ》は強調運動期間《きょうちょううんどうきかん》）
- 日本水難救済会《にほんすいなんきゅうさいかい》

緑《みどり》の募金《ぼきん》

- 森《もり》づくりなどに使用《しよう》
- 緑《みどり》の募金法《ぼきんほう》（1995年《ねん》）
- 毎年《まいとし》1月《がつ》15日《にち》〜5月《がつ》31日《にち》、9月1日《がつついたち》〜10月《がつ》31日《にち》
- 国土緑化推進機構《こくどりょっかすいしんきこう》

水色《みずいろ》の羽根募金《はねぼきん》

- 漁業《ぎょぎょう》での事故《じこ》で遺《のこ》された子《こ》の学資《がくし》を支援《しえん》
- 通年《つうねん》
- 漁船海難遺児育英会《ぎょせんかいなんいじいくえいかい》

コンビニ募金《ぼきん》 初《はじ》めての寄付《きふ》の入《い》り口《ぐち》

30年《ねん》もの歴史《れきし》を持《も》つ透明《とうめい》な募金箱《ぼきんばこ》。支払《しはら》い後《ご》のおつりを入《い》れる手軽《てがる》さで年々募金額《ねんねんぼきんがく》が増加《ぞうか》しています。

・セブン - イレブン、ローソン、ファミリーマートなど

・ふだんは地域《ちいき》や環境《かんきょう》などへの支援《しえん》。大規模災害時《だいきぼさいがいじ》は「災害義援金《さいがいぎえんきん》」に早変《はやが》わり

購入時募金《こうにゅうじぼきん》 商品《しょうひん》を買《か》うと自動的《じどうてき》に寄付《きふ》できる

寄付付《きふつ》き商品《しょうひん》

・売《う》り上《あ》げの一部《いちぶ》を団体《だんたい》に提供《ていきょう》

・アウトドア商品《しょうひん》から食品《しょくひん》、日用品《にちようひん》、衣料《いりょう》までさまざま

年賀寄付金《ねんがきふきん》

・はがきの正式名称《せいしきめいしょう》は「寄付金付《きふきんつき》お年玉付《としだまつき》郵便《ゆうびん》はがき」

・通常《つうじょう》12月《がつ》～翌《よく》1月《がつ》

・日本郵便株式会社《にっぽんゆうびんかぶしきがいしゃ》

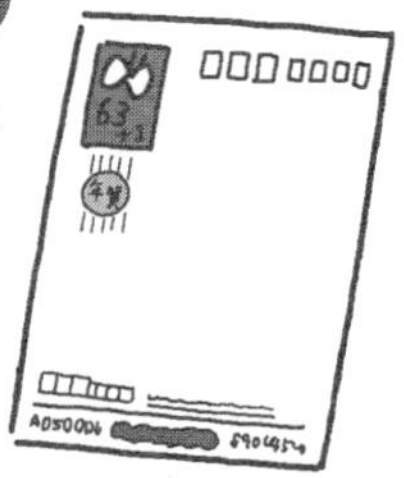

ワンコインでできる身《み》近《ぢか》な「募《ぼ》金《きん》」

お金《かね》を出《だ》す寄《き》付《ふ》には、どのようなものがあるのか見《み》ていきましょう。

身《み》近《ぢか》な寄《き》付《ふ》もたくさんありますね。国《くに》や自《じ》治《ち》体《たい》が行《おこな》っている「共《きょう》同《どう》募《ぼ》金《きん》」は、毎《まい》年《とし》恒《こう》例《れい》の風《ふう》物《ぶつ》詩《し》。ちょこっと買《か》い物《もの》に行《い》くコンビニのレジ横《よこ》には、おなじみの募《ぼ》金《きん》箱《ばこ》が。値《ね》段《だん》に寄《き》付《ふ》金《きん》が含《ふく》まれていて、買《か》うと自《じ》動《どう》的《てき》に寄《き》付《ふ》される仕《し》組《く》みの商《しょう》品《ひん》も。ほんの少《すこ》し値《ね》段《だん》が高《たか》くなるけれど、人《ひと》の役《やく》に立《た》つと思《おも》うとちょっとうれしくなりますね。

寄《き》付《ふ》のように、誰《だれ》かの応《おう》援《えん》のためにお金《かね》を使《つか》うことは「心《ここ》地《ち》よい」ものなのです。

世《よ》の中《なか》には困《こま》っている人《ひと》がたくさんいる でも助《たす》けたいと思《おも》う人《ひと》もいっぱいいる

どんな団体《だんたい》が活動《かつどう》しているのかな？

子《こ》ども

子《こ》どもの居場所《いばしょ》をつくる、食事《しょくじ》の提供《ていきょう》、生《い》きづらさを感《かん》じている子《こ》どもたちの自《じ》立支援《りつしえん》など

災害《さいがい》・復興支援《ふっこうしえん》

被災地《ひさいち》に救助《きゅうじょ》に行《い》ったり、大《おお》きな災害後《さいがいご》の荒《あ》れた場所《ばしょ》に木《き》を植《う》えて緑《みどり》を育《そだ》てるなど

国際協力《こくさいきょうりょく》

難民《なんみん》の支援《しえん》、発展途上国《はってんとじょうこく》に学校《がっこう》をつくる、医療《いりょう》を届《とど》ける、井戸《いど》を掘《ほ》りきれいな水《みず》が飲《の》めるようにするなど

動物《どうぶつ》・ペット

保護《ほご》された犬《いぬ》や猫《ねこ》などの里親探《さとおやさが》し、ペットの散《さん》歩《ぽ》、一時預《いちじあず》かりや留守宅《るすたく》のエサのお世話《せわ》など

考《かんが》え方《かた》や活動《かつどう》に共感《きょうかん》する団体《だんたい》に寄付《きふ》する

赤《あか》い羽根《はね》共同募金《きょうどうぼきん》のような大規模《だいきぼ》な寄付《きふ》以外《いがい》にも、さまざまなかたちで寄付《きふ》ができる環境《かんきょう》が整《ととの》っています。まずは、あなたがお世話《せわ》になっている団体《だんたい》や活動《かつどう》などに寄付《きふ》してみるといいですね。**その団体《だんたい》や活動《かつどう》の「考《かんが》え方《かた》を応援《おうえん》」する気持《きも》ちを込《こ》めて寄付《きふ》します。「誰《だれ》かの夢《ゆめ》を手助《てだす》けする」ことにもなるでしょう。寄付《きふ》は見返《みかえ》りは求《もと》めません。ただ、自分《じぶん》が出《だ》したお金《かね》がどう使《つか》われるか、活動《かつどう》を見守《みまも》りましょう。それは大人《おとな》の社会《しゃかい》との心《こころ》の接点《せってん》になります。**では、どのような活動《かつどう》があるか見《み》てみましょう。

環境保護《かんきょうほご》

人《ひと》と自然《しぜん》が一緒《いっしょ》に暮《く》らせる社会《しゃかい》のために、荒《あ》れた山林《さんりん》の整備《せいび》や保《ほ》全《ぜん》、管理《かんり》を行《おこな》うなど

医療《いりょう》・福祉《ふくし》

障《しょう》がいのある人《ひと》やその家族《かぞく》の支援《しえん》、盲《もう》導犬《どうけん》やセラピードッグを育《そだ》てるなど

教育《きょういく》

宿題《しゅくだい》や勉強《べんきょう》をはじめ習《なら》い事《ごと》やスポーツのサポート、キャンプの引率《いんそつ》など

文化《ぶんか》・スポーツ

地域《ちいき》で行《おこな》うコンサートやスポーツの大会《たいかい》を支《ささ》える、クラブの監督《かんとく》やコーチを務《つと》めるなど

平和《へいわ》

海外《かいがい》の紛争地《ふんそうち》の子《こ》どもたちが将来職《しょうらいしょく》業《ぎょう》に就《つ》けるように支援《しえん》したり、平和《へいわ》について講演活動《こうえんかつどう》を行《おこな》うなど

地域活性《ちいきかっせい》

高齢化《こうれいか》や過疎化《かそか》が進《すす》む地域《ちいき》での農《のう》作業《さぎょう》や除雪《じょせつ》、伝統行事《でんとうぎょうじ》やお祭《まつ》りの手伝《てつだ》い、観光案内《かんこうあんない》など

寄付《きふ》のお話《はなし》

人々《ひとびと》の援助《えんじょ》で大《おお》きな研究《けんきゅう》をした野口英世《のぐちひでよ》

不自由《ふじゆう》な左手《ひだりて》をいじめられて小学校《しょうがっこう》を休《やす》んでいるとき、母《はは》から「勉強《べんきょう》で見返《みかえ》しなさい」と励《はげ》まされ、人《ひと》が変《か》わったように勉強《べんきょう》するようになりました

将来性《しょうらいせい》のある子《こ》どもをまわりの人々《ひとびと》が支《ささ》えた

寄付《きふ》の仕組《しく》みが発達《はったつ》する前《まえ》から、日本中《にほんじゅう》の多《おお》くの人々《ひとびと》には、ごく自然《しぜん》に困《こま》っている人《ひと》を助《たす》ける気持《きも》ちがあったのです。

1人《ひとり》の例《れい》をお話《はな》ししましょう。

野口英世《のぐちひでよ》は、明治《めいじ》から昭和《しょうわ》にかけて活躍《かつやく》した医学者《いがくしゃ》です。明治《めいじ》9年《ねん》（1876年《ねん》）に、福島県《ふくしまけん》で生《う》まれました。家《いえ》はとても貧《まず》しい農家《のうか》です。

英世《ひでよ》が1歳《さい》のとき、火《ひ》が燃《も》えるいろりに落《お》ち、左手《ひだりて》に大《おお》やけどをしてしまいました。いろりというのは、部屋《へや》の真《ま》ん中《なか》に火《ひ》をおこし、暖《あたた》まっ

英世《ひでよ》が「左手《ひだりて》でつらい思《おも》いをしている」と作文《さくぶん》に書《か》くと、みな心《こころ》を寄《よ》せ、外科手術《げかしゅじゅつ》を受《う》けさせてくれたのです。このことを英世《ひでよ》は一生《いっしょう》忘《わす》れませんでした

手術《しゅじゅつ》した渡部鼎《わたなべかなえ》医師《いし》と小林《こばやし》栄先生《さかえせんせい》の出資《しゅっし》で東京《とうきょう》に行《い》き、さらに応援《おうえん》を得《え》てアメリカに留学《りゅうがく》。応援《おうえん》した人《ひと》たちのお金《かね》は、英世《ひでよ》を育《そだ》て、世界《せかい》の人々《ひとびと》を救《すく》うことに役《やく》立《だ》ったのです

たり煮炊《にた》きをしたりする炉《ろ》です。

大《おお》やけどをした左手《ひだりて》は、指《ゆび》がくっついてしまいました。これでは農作業《のうさぎょう》はできません。力仕事《ちからしごと》の代《か》わりに英世《ひでよ》は勉強《べんきょう》をがんばって、いつもばつぐんの成績《せいせき》でした。でも、家《いえ》にお金《かね》がないために上《うえ》の学校《がっこう》に上《あ》がることができません。見《み》かねた小林栄先生《こばやしさかえせんせい》が学資《がくし》を出《だ》し、高等小学校《こうとうしょうがっこう》に上《あ》がれることになりました。

15歳《さい》のとき、先生《せんせい》と学校《がっこう》の生徒《せいと》がお金《かね》を出《だ》しあい、くっついた左手《ひだりて》の指《ゆび》を切《き》り離《はな》す手術《しゅじゅつ》を受《う》けさせてくれました。左手《ひだりて》が使《つか》えるようになった英世《ひでよ》は医師《いし》になろうと決心《けっしん》。やがてアメリカに渡《わた》って勉強《べんきょう》し、細菌学《さいきんがく》や黄熱病《おうねつびょう》などの感染症《かんせんしょう》の研究《けんきゅう》をし、多《おお》くの人々《ひとびと》を助《たす》けました。

日米《にちべい》の個人寄付総額《こじんきふそうがく》の違《ちが》い

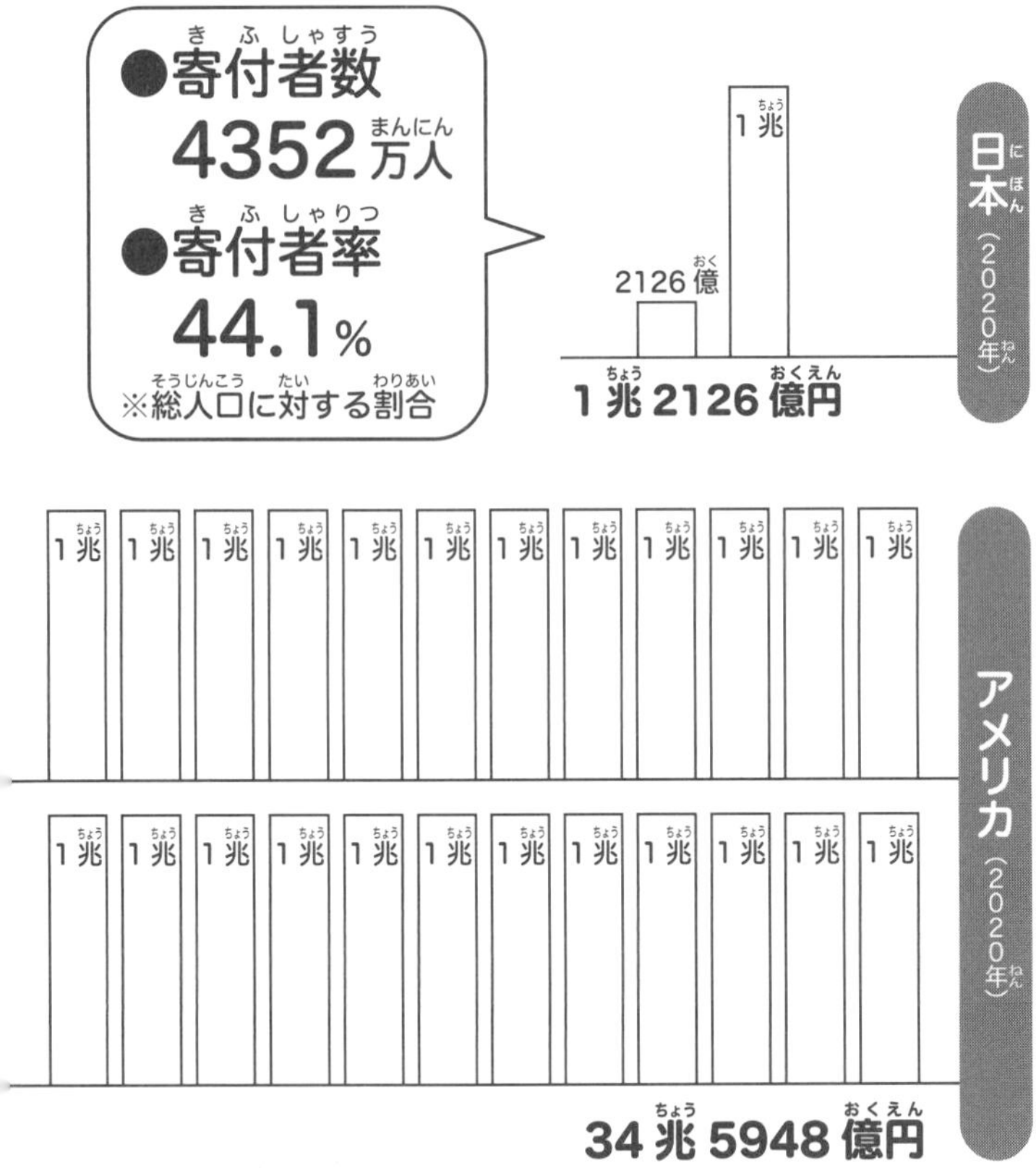
日本《にほん》（2020年《ねん》）
●寄付者数《きふしゃすう》
4352万人《まんにん》
●寄付者率《きふしゃりつ》
44.1%
※総人口《そうじんこう》に対《たい》する割合《わりあい》
2126億《おく》
1兆《ちょう》
1兆《ちょう》2126億円《おくえん》
アメリカ（2020年《ねん》）
1兆《ちょう》
34兆《ちょう》5948億円《おくえん》

日本《にほん》の個人寄付額《こじんきふがく》は、アメリカの約《やく》30分《ぶん》の1

寄付《きふ》は、前向《まえむ》きな将来《しょうらい》があることを信《しん》じてお金《かね》やものを差《さ》し出《だ》すことです。世界《せかい》ではあたりまえのお金《かね》の活《い》かし方《かた》であり、アメリカが偉大《いだい》な国家《こっか》になれたのは寄付《きふ》の力《ちから》によるところも大《おお》きいのです。

アメリカと日本《にほん》の寄付総額《きふそうがく》を比較《ひかく》すると、アメリカのほうがずっと多《おお》いのがわかります。その背景《はいけい》には、文化的《ぶんかてき》な考《かんが》え方《かた》の違《ちが》いがあります。

アメリカでは裕福《ゆうふく》な人《ひと》や有名《ゆうめい》なアーティストなど、憧《あこが》れの対象《たいしょう》である人々《ひとびと》が率先《そっせん》して寄付《きふ》をします。国《こく》民《みん》は「寄付《きふ》する人《ひと》はかっこいい」と感《かん》じます。応援《おうえん》を受《う》けるさまざまな

どうして
こんなに違《ちが》う
のかな？
アメリカと日本《にほん》で
こんなに違《ちが》うの!?

広《ひろ》まる新《あたら》しい寄付《きふ》の方法《ほうほう》「クラウドファンディング」

クラウドファンディングは、寄付《きふ》を必要《ひつよう》とする人《ひと》と寄付《きふ》する人《ひと》をオンラインでつなぐ方法《ほうほう》です。社会的《しゃかいてき》な問題《もんだい》に取《と》り組《く》む大《おお》きな団体《だんたい》ばかりでなく、小《ちい》さなグループでの活動《かつどう》の参加《さんか》も増《ふ》えてきました。例《たと》えば、「新《あたら》しくつくった商品《しょうひん》を売《う》るための資金《しきん》を寄付《きふ》として募集《ぼしゅう》」といったスタイルです。ネット上《じょう》で呼《よ》びかけると、応《おう》援《えん》したい人《ひと》が寄付《きふ》します。

国内《こくない》クラウドファンディングの新規《しんき》プロジェクト支援額《しえんがく》

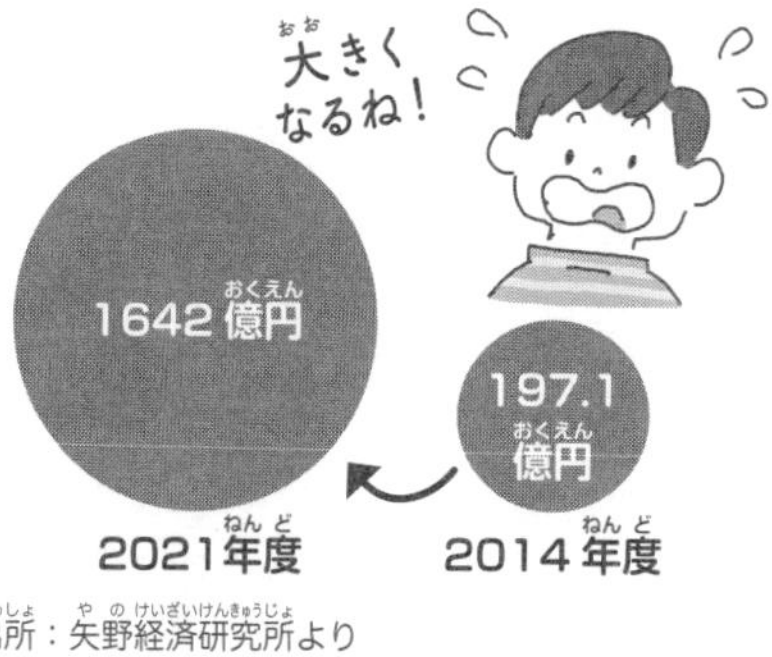
大《おお》きくなるね！
1642億円《おくえん》
197.1億円《おくえん》
2021年度《ねんど》
2014年度《ねんど》

出所《しゅっしょ》：矢野経済研究所《やのけいざいけんきゅうじょ》より

1兆《ちょう》
1兆《ちょう》
1兆《ちょう》
1兆《ちょう》
1兆《ちょう》
1兆《ちょう》
5948億《おく》
1兆《ちょう》
1兆《ちょう》
1兆《ちょう》
1兆《ちょう》

出所《しゅっしょ》:日本《にほん》ファンドレイジング協会《きょうかい》『寄付白書《きふはくしょ》』より

団体《だんたい》が活発《かっぱつ》に活動《かつどう》できると、やがて国民《こくみん》の暮《く》らしがよくなっていきます。寄付《きふ》した人《ひと》にお金《かね》が返《かえ》ってきて儲《もう》かるわけではありませんが、**「自《じ》分《ぶん》が社会《しゃかい》の役《やく》に立《た》っている」という幸福感《こうふくかん》も得《え》られます。この「心《こころ》が満《み》たされる気持《きも》ち」が大切《たいせつ》です。**

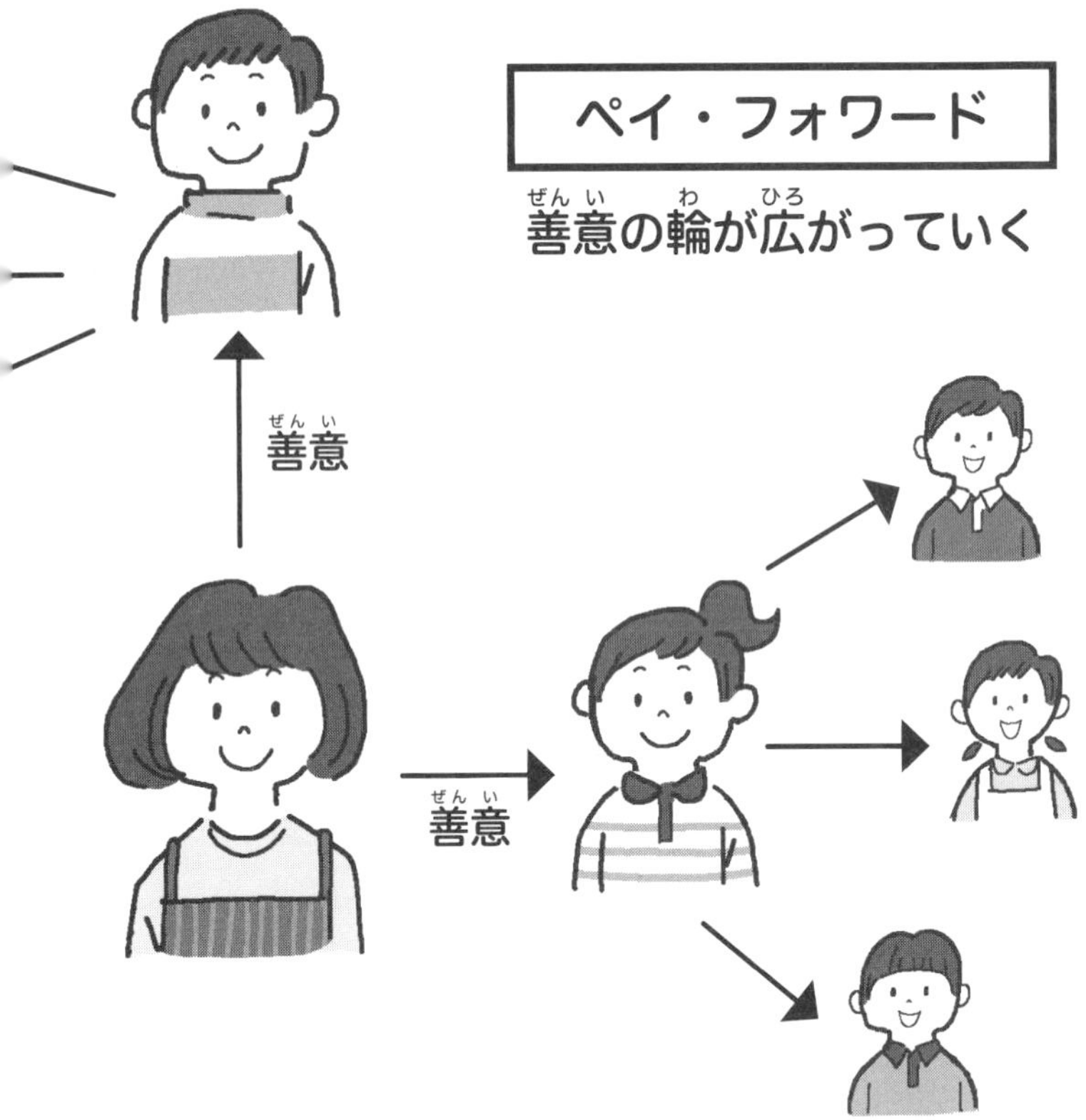

受《う》けた恩《おん》を次《つぎ》の人《ひと》に送《おく》る「ペイ・フォワード」

たくさんのお金《かね》を出《だ》して人《ひと》を助《たす》けるのはあなたがもう少《すこ》し成長《せいちょう》してからになるでしょう。でも、お金《かね》を使《つか》わなくてもできることがあります。**あなたが困《こま》っているとき誰《だれ》かに助《たす》けてもらったら、別《べつ》の困《こま》っている人《ひと》がいたときにあなたが助《たす》けてあげるのです。これを「ペイ・フォワード」といいます。**

直訳《ちょくやく》すると「先《さき》に払《はら》う」で、日本《にほん》語《ご》では「恩送《おんおく》り」といいます。「恩返《おんがえ》し」は助《たす》けてもらった人《ひと》に返《かえ》すものですが、「ペイ・フォワード（恩送《おんおく》り）」は他《ほか》の人《ひと》たちに恩《おん》を渡《わた》すのです。そうやって助《たす》け合《あ》いの輪《わ》を広《ひろ》げます。

映画《えいが》『ペイ・フォワード』が伝《つた》える大《おお》きな可能性《かのうせい》

『ペイ・フォワード』という映画《えいが》があります。学校《がっこう》で「世界《せかい》を変《か》える方法《ほうほう》」を問《と》われた主人公《しゅじんこう》の少年《しょうねん》は、「自分《じぶん》が受《う》けた善意《ぜんい》や思《おも》いやりを別《べつ》の３人《にん》に渡《わた》し、受《う》けた３人《にん》はそれぞれ３人《にん》に同《おな》じことをする」と提案《ていあん》します。その輪《わ》はやがて無限《むげん》の広《ひろ》がりとなって、社会全体《しゃかいぜんたい》をよくしていきました。

今《いま》は恩《おん》を返《かえ》せなくても、いつかどこかで誰《だれ》かに返《かえ》す

例《たと》えば、子《こ》どものころには、自分《じぶん》や友《とも》だちの親《おや》、近所《きんじょ》の人《ひと》や上級生《じょうきゅうせい》などのお世話《せわ》になっています。でも、その恩《おん》は子《こ》どものうちに返《かえ》すことが難《むずか》しいもの。その代《か》わり、あなたが大人《おとな》になったときに、今度《こんど》は子《こ》どもたちのお世話《せわ》をするのです。

また、あなたが学校《がっこう》に筆箱《ふでばこ》を持《も》っていくのを忘《わす》れて困《こま》っているときに友《とも》だちが鉛筆《えんぴつ》を貸《か》してくれたら、次《つぎ》に同《おな》じように困《こま》っている子《こ》に鉛筆《えんぴつ》を貸《か》してあげましょう。

そうやって、あなたがしてもらった善意《ぜんい》を次《つぎ》につないでいくのです。

未来《みらい》の夢《ゆめ》のために何《なに》かをすること

誰《だれ》もがみんな投資家《とうしか》

まずは身近《みぢか》な例《れい》で見《み》てみよう

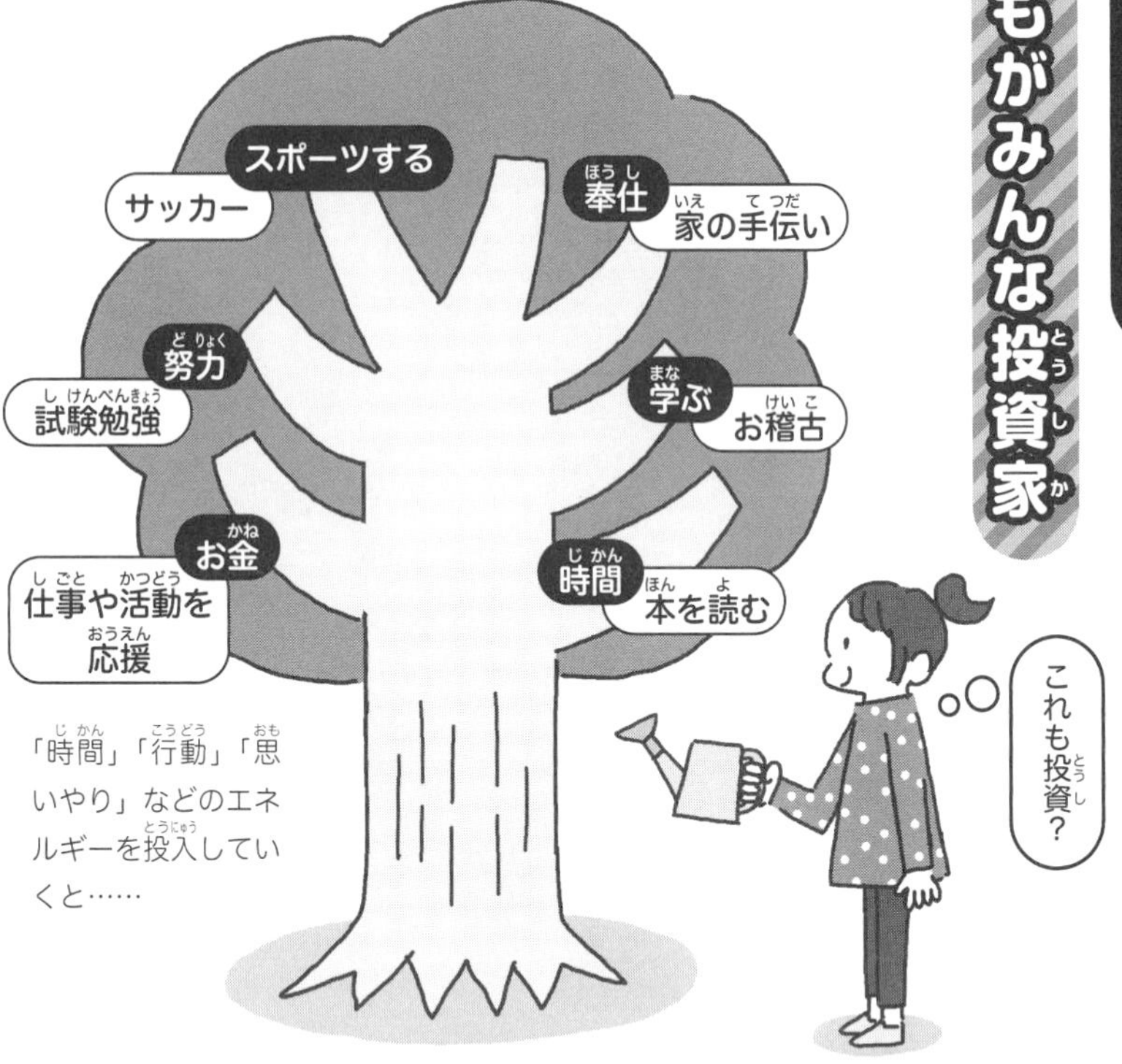
スポーツする
サッカー
奉仕《ほうし》
家《いえ》の手伝《てつだ》い
努力《どりょく》
試験勉強《しけんべんきょう》
学《まな》ぶ
お稽古《けいこ》
お金《かね》
仕事《しごと》や活動《かつどう》を応援《おうえん》
時間《じかん》
本《ほん》を読《よ》む
これも投資《とうし》?

「時間《じかん》」「行動《こうどう》」「思《おも》いやり」などのエネルギーを投入《とうにゅう》していくと……

この章《しょう》の案内人《あんないにん》
「未来《みらい》からのお返《かえ》し」は、お金《かね》とはかぎりません
渡邉庄太《わたなべしょうた》さん

投資《とうし》は投入《とうにゅう》したエネルギーへの「未来《みらい》からのお返《かえ》し」

人《ひと》や団体《だんたい》を応援《おうえん》するには、「寄《き》付《ふ》」のほかに「投資《とうし》」という方法《ほうほう》があります。ここからは、「投資《とうし》」について一緒《いっしょ》に考《かんが》えていきましょう。

「寄《き》付《ふ》」を受《う》け取《と》った人《ひと》や団体《だんたい》は、お金《かね》やものを自由《じゆう》に使《つか》い、差《さ》し出《だ》した人《ひと》にお返《かえ》しはしません。

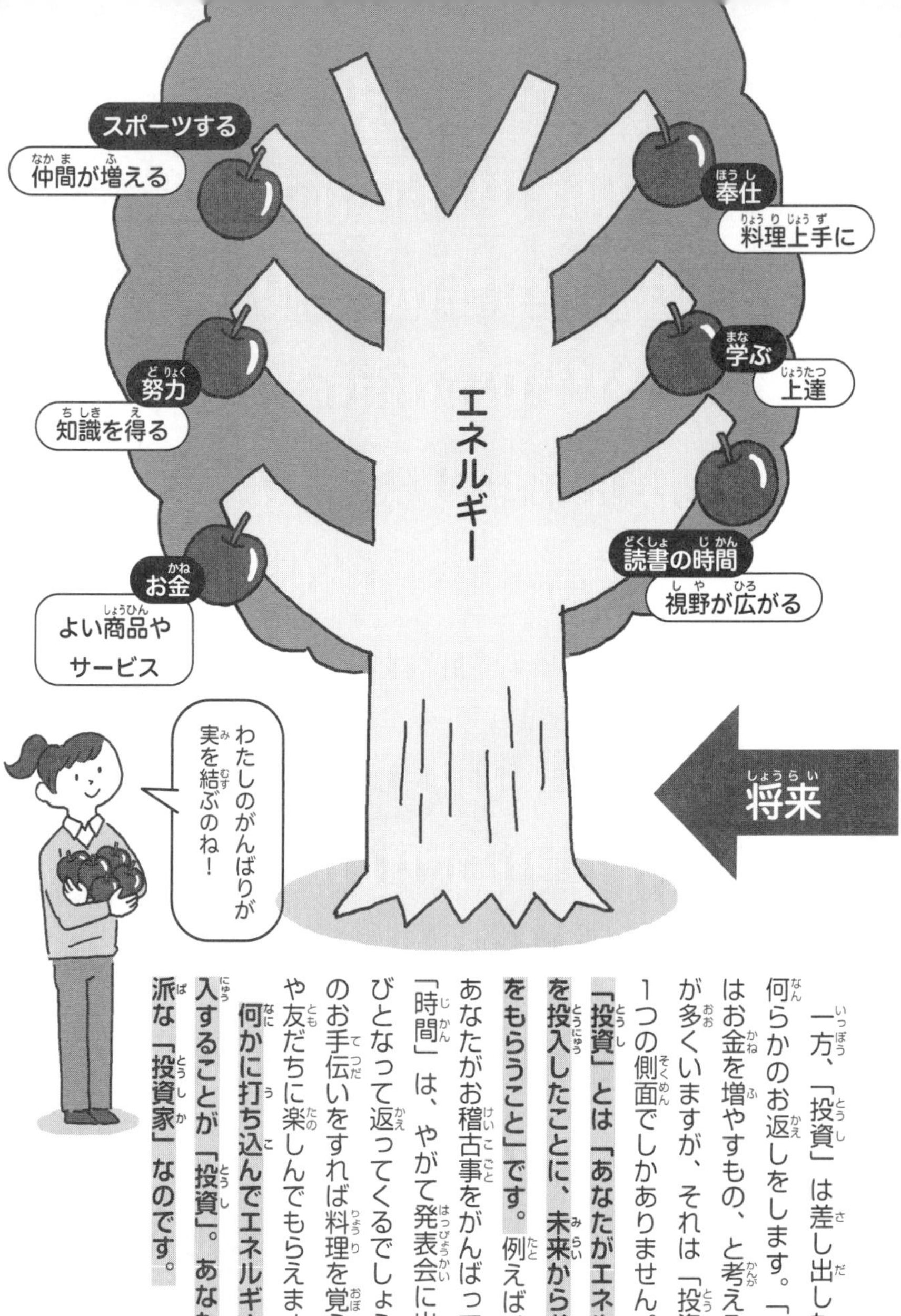
スポーツする
仲間《なかま》が増《ふ》える
努力《どりょく》
知識《ちしき》を得《え》る
お金《かね》
よい商品《しょうひん》や
サービス
奉仕《ほうし》
料理上手《りょうりじょうず》に
学《まな》ぶ
上達《じょうたつ》
読書《どくしょ》の時間《じかん》
視野《しや》が広《ひろ》がる
エネルギー
将来《しょうらい》
わたしのがんばりが実《み》を結《むす》ぶのね！

一方《いっぽう》、「投資《とうし》」は差《さ》し出《だ》した人《ひと》に何《なん》らかのお返《かえ》しをします。「投資《とうし》」はお金《かね》を増《ふ》やすもの、と考《かんが》える大人《おとな》が多《おお》くいますが、それは「投資《とうし》」の1つの側面《そくめん》でしかありません。**「投資《とうし》」とは「あなたがエネルギーを投入《とうにゅう》したことに、未来《みらい》からお返《かえ》しをもらうこと」です。**例《たと》えば、今《いま》、あなたがお稽古事《けいこごと》をがんばっている「時間《じかん》」は、やがて発表会《はっぴょうかい》に出《で》る喜《よろこ》びとなって返《かえ》ってくるでしょう。家《いえ》のお手伝《てつだ》いをすれば料理《りょうり》を覚《おぼ》えて親《おや》や友《とも》だちに楽《たの》しんでもらえます。

何《なに》かに打《う》ち込《こ》んでエネルギーを投入《とうにゅう》することが「投資《とうし》」。あなたも立派《りっぱ》な「投資家《とうしか》」なのです。

明《あか》るい未来《みらい》をつくる「投資《とうし》のエネルギー8要素《ようそ》」

好《す》きなことをしているときには、没頭《ぼっとう》していますよね。そんなときには、**「情熱《じょうねつ》＋行動《こうどう》＋時間《じかん》＋回数《かいすう》＋知恵《ちえ》＋体力《たいりょく》＋お金《かね》」の7つのエネルギーが投入《とうにゅう》されています。これらすべてが力《ちから》を合《あ》わせるとエネルギーは強大《きょうだい》になります。**

そして、最後《さいご》に働《はたら》くのは「運《うん》」。全力《ぜんりょく》を尽《つ》くしても残念《ざんねん》な結果《けっか》に終《お》わることもあれば、あきらめていたことがうまくいくこともあります。**7つのエネルギーを投入《とうにゅう》したうえで、最後《さいご》は運《うん》に身《み》を任《まか》せる。勝《か》っても負《ま》けても落《お》ち**

自分《じぶん》
③時間《じかん》
②行動《こうどう》
①情熱《じょうねつ》
投資《とうし》エネルギー
7人《にん》の仲間《なかま》たち

込《こ》みすぎない心《こころ》を持《も》つことも意識《いしき》しておきましょう。

お返《かえ》しを
あげましょう
投資《とうし》してくれて
ありがとう

未来《みらい》の女神《めがみ》

お返《かえ》しは目《め》に見《み》えるものと見《み》えないものがある

エネルギーを投入《とうにゅう》すると、未来《みらい》からどのようなお返《かえ》しがもらえるのでしょうか。**未来《みらい》からのお返《かえ》しには、「目《め》に見《み》えるもの」と「目《め》に見《み》えないもの」があります。**

「目《め》に見《み》えるもの」は、手《て》づくりお菓子《かし》やプレゼント、勉強《べんきょう》したなら成《せい》績《せき》アップや受験《じゅけん》の合格《ごうかく》、など。「目《め》に見《み》えないもの」は、困《こま》っている人《ひと》を助《たす》けて感謝《かんしゃ》の言葉《ことば》をもらったり、スポーツやレッスンで心《こころ》が成長《せいちょう》したり、ボランティア活動《かつどう》をして人《ひと》の役《やく》に立《た》つ喜《よろこ》びを感《かん》じる、といったことです。**未来《みらい》からもらうお返《かえ》しにはいろいろなものがあるのです。**

目《め》に見《み》えないもの	目《め》に見《み》えるもの

感謝《かんしゃ》

お年寄《としよ》りの手《て》を引《ひ》く、車《くるま》イスを押《お》してお礼《れい》の言葉《ことば》をもらうなど

成長《せいちょう》

スポーツで経験《けいけん》を重《かさ》ねるなど

経験《けいけん》

ボランティア活動《かつどう》して人《ひと》の役《やく》に立《た》つなど

もの

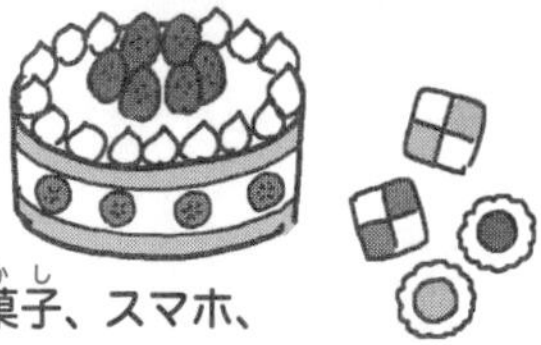

お菓子《かし》、スマホ、おもちゃなど

数字《すうじ》

勉強《べんきょう》して成績《せいせき》アップなど

お金《かね》

お手伝《てつだ》いしておこづかいアップなど

投資《とうし》の目的《もくてき》は、明《あか》るい未来《みらい》をつくること

広《ひろ》い世《よ》の中《なか》に目《め》を向《む》けてみよう

私《わたし》たちが考《かんが》える投資《とうし》の目的《もくてき》は、「世《よ》の中《なか》をよくして、明《あか》るい未来《みらい》をつくること」です。エネルギーを投入《とうにゅう》したことの最大《さいだい》

のお返《かえ》しは、「明《あか》るい未来《みらい》」なのです。そうして、**未来《みらい》が明《あか》るくなれば、自分自身《じぶんじしん》もよりよい人生《じんせい》を送《おく》れるようになります。**

100〜103ページでお話《はな》しした、**エネルギーの投入《とうにゅう》も、「間接的《かんせつてき》に世《よ》の中《なか》をよくすること」につながっています。どんなふうに世《よ》の中《なか》をよくするのか、考《かんが》えてみてください。**

投資《とうし》の意義《いぎ》がイメージできたら、あらためて、広《ひろ》い世《よ》の中《なか》を眺《なが》めてみましょう。自分《じぶん》がどんなふうに世《よ》の中《なか》と関《かか》わりあっていくのか、その道《みち》が見《み》えてくることでしょう。

お金《かね》とは、本来目《ほんらいめ》に見《み》えない「エネルギー」の一種《いっしゅ》

未来《みらい》のために「自分《じぶん》ができること」を考《かんが》えよう

「投資《とうし》」というと、多《おお》くの大人《おとな》はお金《かね》を思《おも》い浮《う》かべます。でも、お金《かね》はエネルギーの一種《いっしゅ》にすぎません。お金《かね》を増《ふ》やすことばかりに気《き》を取《と》られていると、お金《かね》に支配《しはい》された人生《じんせい》を生《い》きることになってしまいます。

多《おお》くの大人《おとな》は仕事《しごと》をすることでエネルギーを生《う》み出《だ》し、買《か》うことでエネルギーを使《つか》っています。**エネルギーをどう世《よ》の中《なか》に流《なが》して、どんな未来《みらい》をつくるかを考《かんが》えるのが「投資《とうし》」**です。あなたも**「未来《みらい》のために自分《じぶん》ができる投資《とうし》は何《なん》だろう？」と考《かんが》えてみましょう。**

何《なに》を応援《おうえん》するためにお金《かね》を使《つか》うか？ひとりひとり考《かんが》えよう

世《よ》の中《なか》
明《あか》るい未来《みらい》
直感《ちょっかん》
情熱《じょうねつ》
素敵《すてき》
感動《かんどう》
みんなに広《ひろ》めたい！

これは人《ひと》のためになるゾ！
面白《おもしろ》い

人々《ひとびと》をどれだけ感動《かんどう》させられるか

　自分《じぶん》が「これいいな、面白《おもしろ》い！」と思《おも》う直感《ちょっかん》を大事《だいじ》に。そして、友《とも》だちを感動《かんどう》、感激《かんげき》させることにエネルギーを注《そそ》ぎましょう。周《まわ》りの人々《ひとびと》を巻《ま》き込《こ》めれば、やがて大《おお》きな力《ちから》になります。自分《じぶん》が得《とく》しようとばかり考《かんが》えると、打算《ださん》が入《はい》ってうまくいかないかもしれません。

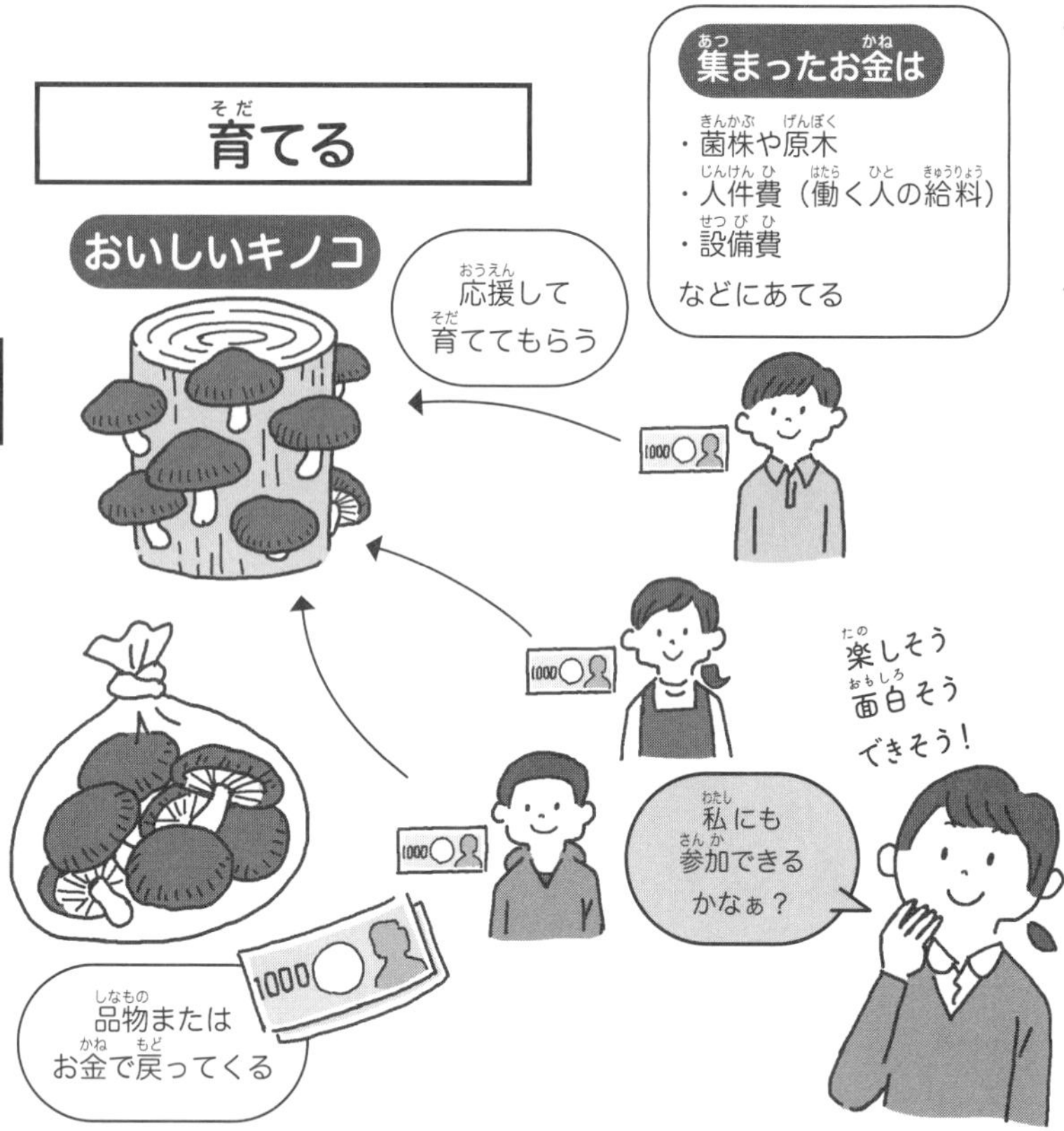
育《そだ》てる
おいしいキノコ
応援《おうえん》して
育《そだ》ててもらう
集《あつ》まったお金《かね》は
・菌株《きんかぶ》や原木《げんぼく》
・人件費《じんけんひ》（働《はたら》く人《ひと》の給料《きゅうりょう》）
・設備費《せつびひ》
などにあてる
1000
楽《たの》しそう
面白《おもしろ》そう
できそう！
私《わたし》にも
参加《さんか》できる
かなぁ？
品物《しなもの》または
お金《かね》で戻《もど》ってくる

応援《おうえん》したい人《ひと》がたくさん集《あつ》まれば大《おお》きな力《ちから》になる

実際《じっさい》に、お金《かね》を投資《とうし》することを想像《そうぞう》してみましょう。たとえばキノコを育《そだ》てるための種菌《たねきん》を持《も》っていて、「おいしいキノコを育《そだ》てるぞ！」と思《おも》っている人《ひと》がいるとします。あなたが応援《おうえん》するためのお金《かね》を投資《とうし》すれば、その人《ひと》はよい原木《げんぼく》を買《か》えるかもしれません。無事《ぶじ》においしいキノコが育《そだ》ったら、あなたはキノコをわけてもらったり、キノコが売《う》れて儲《もう》かったお金《かね》の一部《いちぶ》を受《う》け取《と》ったりできるでしょう。応援《おうえん》したいという人《ひと》がたくさん現《あらわ》れたら、キノコ栽培会社《さいばいがいしゃ》をつくることもできそうです。

栽培《さいばい》する会社《かいしゃ》を
つくって経営《けいえい》する
栽培《さいばい》する会社《かいしゃ》の
株式《かぶしき》を買《か》う
株券
おいしいキノコを
消費者《しょうひしゃ》に届《とど》けたい
規模《きぼ》が
大《おお》きくなると…
Support!!
栽培《さいばい》する会社《かいしゃ》を
応援《おうえん》（出資《しゅっし》）する
10000

広《ひろ》げる

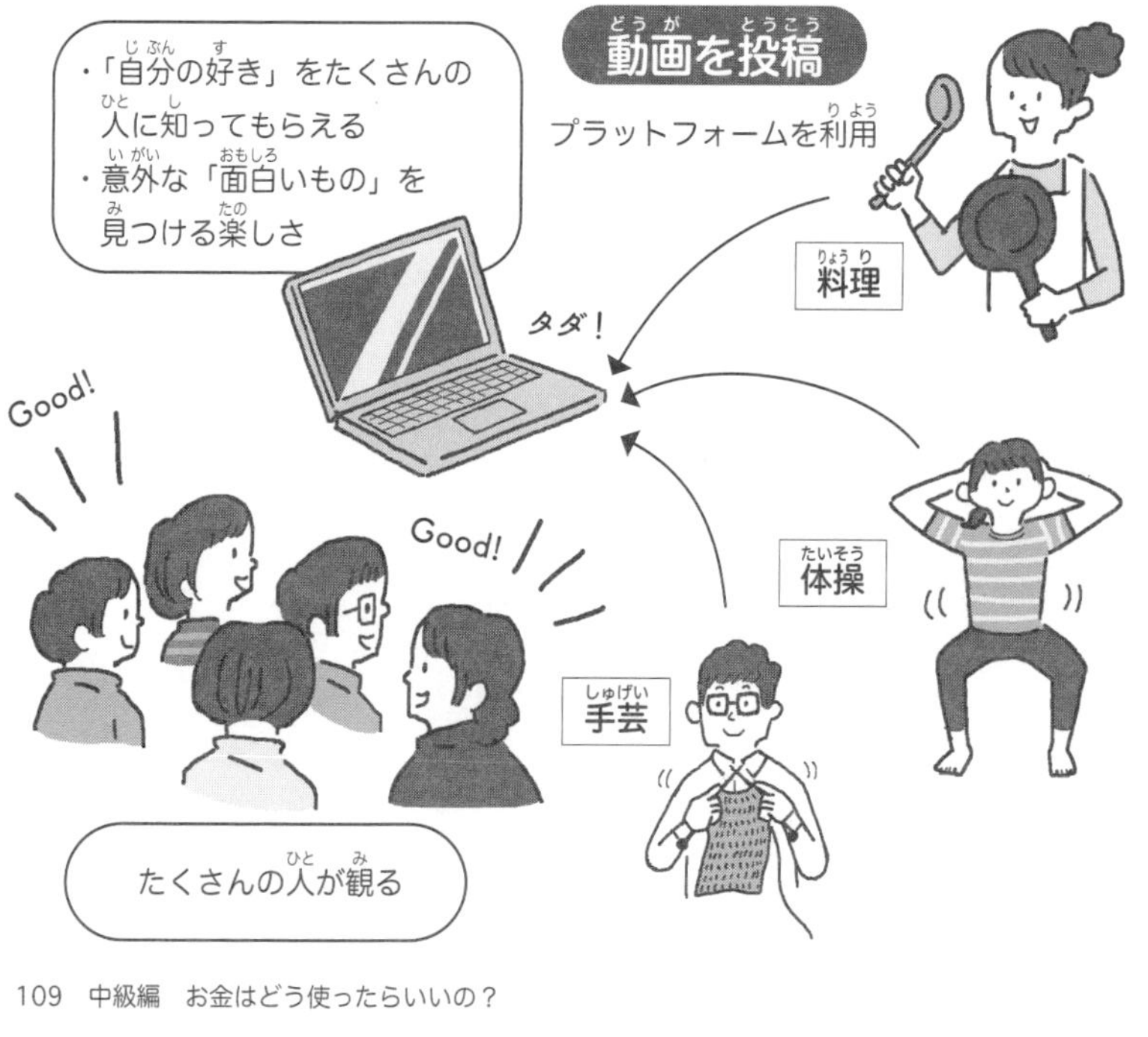
動画《どうが》を投稿《とうこう》
プラットフォームを利用《りよう》
・「自分《じぶん》の好《す》き」をたくさんの
人《ひと》に知《し》ってもらえる
・意外《いがい》な「面白《おもしろ》いもの」を
見《み》つける楽《たの》しさ
料理《りょうり》
タダ！
Good!
Good!
体操《たいそう》
手芸《しゅげい》
たくさんの人《ひと》が観《み》る

「生《い》きたお金《かね》」にするために必要《ひつよう》なこと

今《いま》、多《おお》くの人《ひと》が貯蓄《ちょちく》しているのは、「死《し》んだお金《かね》」です。考《かんが》えなしに使《つか》ったり、ただ安《やす》いからと買《か》っているなら、それも限《かぎ》りなく死《し》んだお金《かね》に近《ちか》いものです。

また、自分《じぶん》だけがよければいい、自分《じぶん》の家族《かぞく》さえよければいい、自分《じぶん》の国《くに》だけよければいい、とばかり考《かんが》えていると「閉《と》じた人《じん》生《せい》」を送《おく》ることになってしまいます。自分《じぶん》のお金《かね》だけを後生大事《ごしょうだいじ》に持《も》っている、お金《かね》に支配《しはい》された人《じん》生《せい》です。

私《わたし》たちは、お金《かね》を通《とお》して、もっと社会《しゃかい》や自分《じぶん》の生《い》き方《かた》を立体的《りったいてき》に奥行《おくゆ》きのあるものとして考《かんが》えなければなりません。**「消費《しょうひ》」する人《ひと》と「生産《せいさん》」する人《ひと》、それを応援《おうえん》する「投資《とうし》」の3方向《ほうこう》から物事《ものごと》を見《み》ることで、立体的《りったいてき》で奥行《おくゆ》きのあるものの見方《みかた》ができるようになります。**

消費《しょうひ》・生産《せいさん》・投資《とうし》は
お互《たが》いに
関係《かんけい》している
消費《しょうひ》
1000
どれか1つだけの
視点《してん》にならず
柔軟《じゅうなん》に考《かんが》えよう

生産《せいさん》
貯金《ちょきん》
BANK
¥
¥
¥
投資《とうし》

眠《ねむ》っているお金《かね》を世《よ》の中《なか》に流《なが》すために

日本《にほん》とアメリカ、ヨーロッパの金融資産《きんゆうしさん》の構成《こうせい》を比較《ひかく》してみると、日本《にほん》の現金《げんきん》と預金《よきん》がとても多《おお》いのがわかります。お金《かね》はエネルギーの一種《いっしゅ》ですから、「生《い》きたお金《かね》」にするためにどうすべきかを考《かんが》える必要《ひつよう》があります。

家計金融資産構成《かけいきんゆうしさんこうせい》の日米欧比較《にちべいおうひかく》

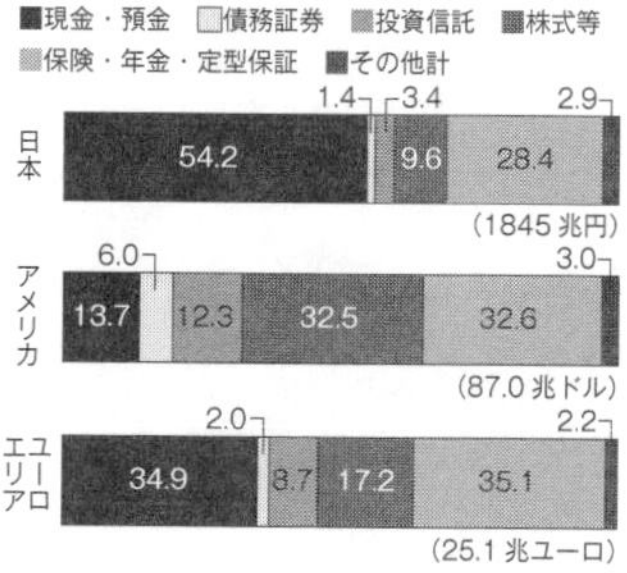

■現金・預金 □債務証券 ■投資信託 ■株式等
■保険・年金・定型保証 ■その他計
日本
54.2
1.4
3.4
9.6
28.4
2.9
(1845 兆円)
アメリカ
13.7
6.0
12.3
32.5
32.6
3.0
(87.0 兆ドル)
ユーロエリア
34.9
2.0
8.7
17.2
35.1
2.2
(25.1 兆ユーロ)

※日本銀行「資金循環の日米欧比較」2020年8月（データは2020年3月末基準）掲載情報に基づきレオス・キャピタルワークス作成

コラム❷ 教《おし》えて先生《せんせい》！ 子《こ》どものころのこと

「なぜお金《かね》が必要《ひつよう》か」をプレゼンでアピール

行《い》きたい場所《ばしょ》や食《た》べたいものがあったら、即《そく》プレゼン！

仲岡由麗江《なかおかゆりえ》さん

お金《かね》が必要《ひつよう》なとき親《おや》に申告《しんこく》するプレゼンテーション制《せい》。「この本《ほん》は図書館《としょかん》でも借《か》りられるけど、家《いえ》でゆっくり読《よ》みたいから買《か》って」と説得《せっとく》したり、母《はは》と一緒《いっしょ》に出《で》かけて兼用《けんよう》で着《き》られる服《ふく》を買《か》ったり。広報部《こうほうぶ》としてセミナーなどで話《はな》す場面《ばめん》では、子《こ》どものころに「人《ひと》への伝《つた》え方《かた》」を工夫《くふう》したことが役立《やくだ》っているかも。

お金《かね》は必要《ひつよう》なときに使《つか》うことが大事《だいじ》

小学《しょうがく》４年生《ねんせい》のころ、楽器店《がっきてん》にある中古《ちゅうこ》のエレキギターが欲《ほ》しくて、お金《かね》をためて買《か》おうと思《おも》っているうちに売《う》れてしまった。そのときの悔《くや》しさは忘《わす》れられない。それからは、本当《ほんとう》に欲《ほ》しいものは迷《まよ》わず買《か》うようにしているんだ。好《す》きな気持《きも》ちを育《そだ》てることにもつながるからね。くじけずに、大人《おとな》になってもギターは続《つづ》けているよ。

使《つか》い続《つづ》ける自分《じぶん》を想像《そうぞう》できるものが、本当《ほんとう》に欲《ほ》しいものかも

山﨑孝《やまざきたかし》さん

3章《しょう》

上級編《じょうきゅうへん》

お金《かね》を得《え》るってどういうこと？

大人《おとな》になると、働《はたら》いてお金《かね》を得《え》て生活《せいかつ》するようになる。でも、働《はたら》くってどういうこと？　どんな働《はたら》き方《かた》があるの？　私《わたし》にもできるかな……、ちょっと不安《ふあん》。それなら、一緒《いっしょ》に考《かんが》えてみよう。働《はたら》くって、ワクワクして楽《たの》しいことだよ！

第《だい》3話《わ》
働《はたら》いて得《え》られるもの
サッカーボールを 買ったよ
おばあちゃん ありがとうね
母《かあ》さん!
おこづかい ちょうだい!
ドン
え! 今月《こんげつ》のはもう あげたでしょ
あぶないでしょっ

そうだけど！お金《かね》は使《つか》えば使《つか》うほど経済《けいざい》が回《まわ》るんだよ！
いいことでしょ？
ダメよ！お金《かね》は無限《むげん》にあるわけじゃないんだから！
えー！でもお金《かね》は返《かえ》ってくるんだよ？
学《がく》！ちょっとこっちおいで
お金《かね》が返《かえ》ってくるのは母《かあ》さんと父《とう》さんが働《はたら》いてるからだろ？
学《がく》の意思《いし》も大事《だいじ》だけど母《かあ》さんと父《とう》さんにも考《かんが》えがあるからね

お金《かね》を自由《じゆう》に使《つか》いたいんだったら自分《じぶん》で働《はたら》こうな
…働《はたら》くってどうすればいいかわかんないよ
うーん今《いま》はそんな深《ふか》く考《かんが》えなくてもいいと思《おも》うけど…
例《たと》えば学《がく》の好《す》きなこと…
サッカーとかさ
サッカー選手《せんしゅ》？
なれたらすごいけど…たぶん難《むずか》しいじゃん
なれなかったとしたらサラリーマンとかになって…

毎朝《まいあさ》早起《はやお》きして
通勤《つうきん》して
働《はたら》いて
給料《きゅうりょう》もらって
また働《はたら》いて…
…ってすごい大変《たいへん》そう…
父《とう》さんも母《かあ》さんもすごい疲《つか》れて帰《かえ》ってくるじゃん
ただ
いまぁ゛
ヘロォ…
…まあそうだな…
大変《たいへん》なんだよなぁ〜働《はたら》くのって
グッ
ザ
でもな大変《たいへん》なだけじゃない

働《はたら》くのって面白《おもしろ》いんだ
学《がく》は働《はたら》いて得《え》られるものがお金《かね》だけだと思《おも》ってないか?
違《ちが》うの?
違《ちが》うよ
得《え》ると同時《どうじ》に与《あた》えることにもなる
それが父《とう》さんは面白《おもしろ》いと思《おも》うところだな
それにな 学《がく》
サッカーに関係《かんけい》するのは選手《せんしゅ》だけじゃないだろ?

得意《とくい》なことが
活《い》かせる仕事《しごと》も
きっと楽《たの》しいぞ
どんな大人《おとな》に
なるかは
学《がく》の自由《じゆう》なんだ

働《はたら》く

人《ひと》を喜《よろこ》ばせ幸《しあわ》せにすること

社会《しゃかい》のために何《なに》ができるか

自他不二《じたふじ》の考《かんが》え方《かた》

自分《じぶん》と他人《たにん》は2つに分《わ》けることはできない

自分《じぶん》の喜《よろこ》びは他人《たにん》の喜《よろこ》びにつながり
他人《たにん》の幸《しあわ》せは自分《じぶん》の幸《しあわ》せになる
みんなの幸《しあわ》せを考《かんが》えてみる

この章《しょう》の案内人《あんないにん》

藤野英人《ふじのひでと》さん

人《ひと》は誰《だれ》かを支《ささ》え、支《ささ》えられる「互恵関係《ごけいかんけい》」にある

社会《しゃかい》に出《で》て働《はたら》くとは、どんなことでしょう?

働《はたら》くとは「多《おお》くの人《ひと》を幸《しあわ》せにしたり、喜《よろこ》んでもらったり、楽《たの》しんでもらったり、元気《げんき》にしたりすることを一生懸命考《いっしょうけんめいかんが》える」ことです。そうすることで、まわりの人《ひと》たちから感謝《かんしゃ》としてお金《かね》をもらう。人《ひと》に喜《よろこ》んでもらえる方法《ほうほう》がわかる人《ひと》が、成功《せいこう》する人《ひと》。人《ひと》を幸《しあわ》せにすることで自分《じぶん》も幸《しあわ》せになれるのです。

すべてはつながっている——これを経済用《けいざいよう》語《ご》で「互恵関係《ごけいかんけい》」といいます。

「経済《けいざい》」はお金《かね》を通《とお》してみんなの幸《しあわ》せを考《かんが》えること

「経済学《けいざいがく》（エコノミクス）」の語源《ごげん》は、ギリシャ語《ご》の「オイコノミクス（共同体《きょうどうたい》のあり方《かた》）」からきています。共同体《きょうどうたい》として、みんなでどのように生《い》きたら幸《しあわ》せになれるか。それを考《かんが》えるのが、経済学《けいざいがく》の始《はじ》まりです。

明治時代《めいじじだい》に入《はい》ってきたエコノミーという言《こと》葉《ば》を「経済《けいざい》」と訳《やく》したのは、福沢諭吉《ふくざわゆきち》だともいわれています。中国《ちゅうごく》の「経世済民《けいせいさいみん》（世《よ》を経《おさ》め、民《たみ》を済《すく》う）」から2字《じ》を取《と》ってつくった言葉《ことば》です。

経済《けいざい》とは、お金《かね》を通《とお》してみんなの幸《しあわ》せを考《かんが》えること。これをしっかり覚《おぼ》えておきましょう。

「ありがとう」は、やる気《き》を生《う》み出《だ》す魔法《まほう》の言葉《ことば》

みんなの幸《しあわ》せのために今《いま》すぐできること

今《いま》すぐ、みんなを幸《しあわ》せにするためにあなたにできることがあります。それは、「ありがとう」と言《い》うこと。

買《か》い物《もの》をしたら、店員《てんいん》さんに「ありがとう」。レストランで料理《りょうり》を出《だ》してもらったら「ありがとう」。

過去《かこ》が詰《つ》まったお金《かね》でものを買《か》うことで、私《わたし》たちは未来《みらい》の可能性《かのうせい》を得《え》られます。さらに**感謝《かんしゃ》する心《こころ》を持《も》つことで、やがて経済《けいざい》の仕組《しく》みからたくさんのお返《かえ》しをもらえるようになります。「ありがとう」の言葉《ことば》は「幸福《こうふく》の循環《じゅんかん》」をつくるのです。**

お金《かね》を払《はら》うだけじゃない！
しおりをプレゼントします
ありがとう！
ありがとうってうれしい♥
ありがとうが聞《き》きたくて
もっとお客《きゃく》さまに満足《まんぞく》してもらいたい！
「ありがとう」で幸《しあわ》せの循環《じゅんかん》が生《う》まれる
大丈夫《だいじょうぶ》ですか？
ありがとう！
世《よ》の中《なか》がよいほうに回《まわ》っていく！

世《よ》の中《なか》に貢献《こうけん》したごほうび

「清《きよ》く豊《ゆた》かに」なろう

世《よ》の中全体《なかぜんたい》が よい流《なが》れであるために

挨拶《あいさつ》は人《ひと》と人《ひと》が よい関係《かんけい》であるために 必要《ひつよう》なこと

この章《しょう》の案内人《あんないにん》

藤野英人《ふじのひでと》さん

人《ひと》の気持《きも》ちや心《こころ》を理解《りかい》して、寄《よ》り添《そ》いましょう

世《よ》の中《なか》をよい状態《じょうたい》にするために働《はたら》く

人《ひと》と会《あ》うと挨拶《あいさつ》をしますね。挨拶《あいさつ》は、相手《あいて》の状態《じょうたい》を聞《き》くことです。「こんにちは」は「今日《きょう》はご機嫌《きげん》いかが?」、英語《えいご》の「How《ハウ》 are《アー》 you《ユー》?」は「あなたはどういう状態《じょうたい》ですか?」を縮《ちぢ》めたもの。私《わたし》たちは、いつも相手《あいて》の状態《じょうたい》を聞《き》いて、相手《あいて》を思《おも》いやりながら、人間関係《にんげんかんけい》をつくっているのです。

働《はたら》くのも、世《よ》の中《なか》を「Well《ウェル》 being《ビーイング》（良《よ》い状態《じょうたい》）」にしていくためです。これは私《わたし》たちが幸《しあわ》せに生《い》きていくために、とても大切《たいせつ》な視点《してん》です。

お金《かね》をかせぐことは人《ひと》のためでもある

外国《がいこく》ではお金持《かねも》ちこそ人《ひと》の役《やく》に立《た》つことにお金《かね》を出《だ》す

昔《むかし》から、日本《にほん》には貧《まず》しい人《ひと》こそ清《きよ》らかであるという「清貧《せいひん》の思想《しそう》」があります。ひるがえって、豊《ゆた》かになるためには何《なに》か悪《わる》いことをしなければならない、という誤《あやま》った考《かんが》えを生《う》んでいるようです。しかし、人《ひと》のためになる仕事《しごと》をして豊《ゆた》かになったほうが、国《くに》は発展《はってん》していくのです。清《きよ》く豊《ゆた》かに生《い》きる「清豊《せいほう》」をめざしましょう。

働《はたら》くことは我慢《がまん》することではない

「働《はたら》くこと」を、「我慢《がまん》して言《い》われたとおりのことをやって、お金《かね》をもらうこと」だと思《おも》っている人《ひと》は少《すく》なくありません。でも、我慢《がまん》をずっと続《つづ》けるのはつらいもの。このような考《かんが》え方《かた》で幸《しあわ》せに生《い》きていくのは難《むずか》しいでしょう。

「働《はたら》くこと」の本質《ほんしつ》は、「世《よ》の中《なか》をよい状態《じょうたい》にすること」にあります。意《い》思《し》を持《も》つ自立《じりつ》した人間《にんげん》として「よりよい状態《じょうたい》」を目指《めざ》し、仲間《なかま》と協力《きょうりょく》しながら仕事《しごと》をする。それが幸《しあわ》せに生《い》きていくことにつながるのです。そして誠実《せいじつ》に人《ひと》が喜《よろこ》ぶ仕事《しごと》をすれば、自分《じぶん》の収入《しゅうにゅう》も増《ふ》えていくでしょう。

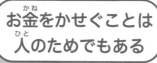

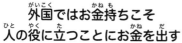

「好《す》き嫌《きら》いの感覚《かんかく》」を大事《だい じ》にする

1人《ひとり》ひとりだと
小《ちい》さな力《ちから》
だけど…
好《す》きなことで協力《きょうりょく》して
仕事《しごと》すると楽《たの》しい！
株式《かぶしき》の元《もと》は「Share《シェア》」
分《わ》け合《あ》うこと

会社《かいしゃ》で働《はたら》くか、個人《こじん》で働《はたら》くかを選《えら》べる時代《じだい》に

働《はたら》くと一言《ひとこと》で言《い》っても、会社《かいしゃ》に勤《つと》めるタイプと、自分《じぶん》で仕事《しごと》をつくるタイプがあります。

まず、会社《かいしゃ》で働《はたら》くことについて考《かんが》えてみましょう。会社《かいしゃ》は英語《えいご》で「company《カンパニー》」といいます。もともとは「仲間《なかま》」という意味《いみ》です。また、株式《かぶしき》会社《がいしゃ》の「株式《かぶしき》」は英語《えいご》で「share《シェア》」といって、「分《わ》け合《あ》う」という意味《いみ》です。

協力《きょうりょく》することで仲間《なかま》になり、資源《しげん》を分《わ》け合《あ》うことで会社《かいしゃ》になるのです。1人《ひとり》ではなく仲間《なかま》と一緒《いっしょ》だからこそできる大《おお》きな仕事《しごと》をするのが会社《かいしゃ》であり、人間《にんげん》が人間《にんげん》らしさを発揮《はっき》できる場《ば》です。

得意《とくい》なものが「資源《しげん》」

発想《はっそう》が豊《ゆた》か
手先《てさき》が器用《きよう》
気配《きくば》りならまかせて
アニメに詳《くわ》しい
カンパニー
Company
資源《しげん》を分《わ》け合《あ》って(Share《シェア》)
協力《きょうりょく》することで
仲間《なかま》(Company《カンパニー》)になる
接客《せっきゃく》大好《だいす》き
計算《けいさん》が得意《とくい》

好《す》きで選《えら》んだ会社《かいしゃ》では、よい人間関係《にんげんかんけい》がつくれる

会社《かいしゃ》を選《えら》ぶときには、自分《じぶん》の好《す》き嫌《きら》いの気持《きも》ちを大切《たいせつ》にします。

「この会社《かいしゃ》、なんだか好《す》き」「なぜかわからないけど嫌《きら》い」という印象《いんしょう》がとても大事《だいじ》です。損《そん》か得《とく》かという視点《してん》で選《えら》ぶと、損《そん》する状態《じょうたい》になったときに心《こころ》が折《お》れてしまいます。

「好《す》き」で選《えら》ぶと、仲間《なかま》とよい関係《かんけい》がつくれて、仕事《しごと》にワクワクして没頭《ぼっとう》でき、達成感《たっせいかん》を得《え》られます。

お客《きゃく》さまの好《す》き嫌《きら》いをよくわかっているのが、仕事《しごと》ができる人《ひと》。自分《じぶん》の好《す》き嫌《きら》いに敏感《びんかん》でない人《ひと》は、人《ひと》の好《す》き嫌《きら》いに対《たい》しても敏感《びんかん》ではなくなり、ビジネスもうまくできません。

PERMA《パーマ》 自分《じぶん》の心《こころ》を支《ささ》えてくれる「幸福《こうふく》の5つの要素《ようそ》」

Engagement

Positive emotion

E エンゲージメント

没頭《ぼっとう》する、熱中《ねっちゅう》する

P ポジティブ・エモーション

ワクワクすること

人生《じんせい》の選択《せんたく》には「PERMA《パーマ》」を大切《たいせつ》に

どの道《みち》に進《すす》もうかと悩《なや》んだときに思《おも》い浮《う》かべてほしいのが、その仕事《しごと》が「PERMA《パーマ》」の状態《じょうたい》であるかどうかです。「PERMA《パーマ》」は自分《じぶん》の心《こころ》を支《ささ》えてくれる5つの要素《ようそ》です。

ワクワクしている状態《じょうたい》のポジティブ・エモーション（P）、楽《たの》しくて夢中《むちゅう》になる状態《じょうたい》のエンゲージメント（E）、人《ひと》との関係性《かんけいせい》のリレーションシップ（R）、自分《じぶん》のやっていることに意味《いみ》があるというミーニング（M）、やり切《き》った達成感《たっせいかん》のあるアチーブメント（A）。これらの英語《えいご》の頭文字《かしらもじ》を取《と》って「PERMA《パーマ》」と呼《よ》ばれます。

A アチーブメント

達成感《たっせいかん》

R リレーションシップ

友好《ゆうこう》な人間関係《にんげんかんけい》

Meaning

M ミーニング

自分《じぶん》のいる意味《いみ》

働《はたら》いているとき、ワクワクして、没頭《ぼっとう》できて、人《ひと》との関係性《かんけいせい》がよく、自分《じぶん》の存在意義《そんざいいぎ》が感《かん》じられて、達成《たっせい》感《かん》があるのが「ＰＥＲＭＡ《パーマ》」。この状態《じょうたい》であるとき、人《ひと》は幸《しあわ》せを感《かん》じるのです。

セリグマン教授《きょうじゅ》が提唱《ていしょう》したポジティブ心理学《しんりがく》

「ＰＥＲＭＡ《パーマ》」を提唱《ていしょう》したのは、ポジティブ心理学《しんりがく》で知《し》られるペンシルバニア大学《だいがく》心理学部教授《しんりがくぶきょうじゅ》のマーティン・セリグマンです。ポジティブ心理学《しんりがく》は「よい生《い》き方《かた》」「充実《じゅうじつ》した活動《かつどう》を行《おこな》える組織《そしき》や社会《しゃかい》の条件《じょうけん》」の研究《けんきゅう》で注目《ちゅうもく》を集《あつ》めている学問《がくもん》です。マイクロソフト社《しゃ》など大手企業《おおてきぎょう》にも取《と》り入《い》れられています。

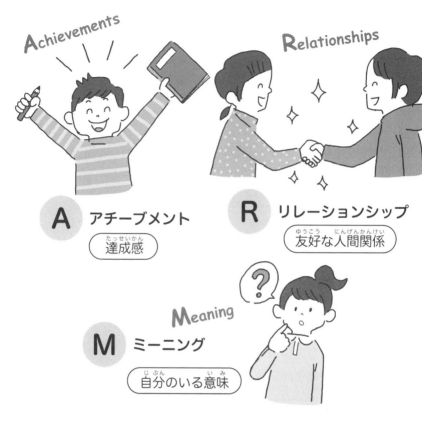

8 働きがいも 経済成長も

働《はたら》きがいのある人間《にんげん》らしい仕事《しごと》（ディーセント・ワーク）を増《ふ》やすことが経済成長《けいざいせいちょう》を持続《じぞく》させることにつながる

ディーセント・ワークを満《み》たす 8つのポイント

1：安定《あんてい》して働《はたら》けていますか？
2：給与《きゅうよ》は貯金《ちょきん》できるくらい十分《じゅうぶん》ですか？
3：仕事《しごと》とプライベートのバランスはとれていますか？
4：雇用保険《こようほけん》、年金制度《ねんきんせいど》、医療制度《いりょうせいど》に加入《かにゅう》していますか？
5：仕事上《しごとじょう》で、性別《せいべつ》などを理由《りゆう》に差別《さべつ》をされていませんか？
6：心《こころ》も体《からだ》も、危害《きがい》を加《くわ》えられる心配《しんぱい》を感《かん》じることはありませんか？
7：働《はたら》く権利《けんり》が保障《ほしょう》されていて、職場《しょくば》に悩《なや》みなどの相談場所《そうだんばしょ》がありますか？
8：成長《せいちょう》や働《はたら》きがいを感《かん》じることができますか？

自立《じりつ》した市民《しみん》を育《そだ》てる「SDGs《エスディージーズ》教育《きょういく》」

今《いま》、学校《がっこう》でとてもポジティブな教育《きょういく》が行《おこな》われています。それが「SDGs《エスディージーズ》教育《きょういく》」です。Sustainable《サステナブル》 Development《デベロップメント》 Goals《ゴールズ》の頭文字《かしらもじ》を取《と》った言葉《ことば》で、「持続可能《じぞくかのう》な開発目標《かいはつもくひょう》」という意味《いみ》です。17の課題《かだい》に対《たい》して、「自分《じぶん》がどう行動《こうどう》すべきか」を考《かんが》えます。

自分《じぶん》は社会《しゃかい》に対《たい》してどのように行動《こうどう》すべきか

「SDGs《エスディージーズ》教育《きょういく》」がこれまでとまったく違《ちが》うのは、「主語《しゅご》が自分《じぶん》であること」です。**これまでの教育《きょういく》は「社会《しゃかい》にどう適応《てきおう》するか」という視点《してん》**

だったのに対《たい》し、「SDGs《エスディージーズ》教育《きょういく》」は「自分《じぶん》が社会《しゃかい》に対《たい》して何《なに》ができるか。どのように行動《こうどう》すればよいか」を考《かんが》えます。あなたたち一人《ひとり》ひとりが、社会《しゃかい》を変《か》える主体《しゅたい》になりえるのです。

「自分《じぶん》が人《ひと》のために何《なに》をできるか」と考《かんが》えて行動《こうどう》することは、自立《じりつ》した市民《しみん》を育《そだ》てることにつながります。やがて、仲間《なかま》と自分《じぶん》が主体《しゅたい》となって、どのように社会《しゃかい》を変《か》えるか、と考《かんが》えるようになるでしょう。

そして、もし社会《しゃかい》が必要《ひつよう》としているものがまだないなら、自分《じぶん》で会社《かいしゃ》を立《た》ち上《あ》げてつくってしまおう、と考《かんが》える人《ひと》も出《で》てくるでしょう。図《はか》らずも、「SDGs《エスディージーズ》は起業家《きぎょうか》を育《そだ》てる教育《きょういく》」である可能性《かのうせい》が高《たか》いのです。

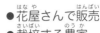

将来《しょうらい》イキイキと働《はたら》くために

誰《だれ》にでも働《はたら》く場所《ばしょ》はある

たとえば

花《はな》に関係《かんけい》する仕事《しごと》

きれいな花《はな》で人々《ひとびと》を癒《い》やす

人々《ひとびと》の心《こころ》を癒《い》やしてくれる花《はな》に関《かか》わる仕事《しごと》。とても広《ひろ》い場面《ばめん》で活躍《かつやく》できます。

- 花屋《はなや》さんの店舗《てんぽ》の内装《ないそう》
- 花《はな》のサブスクリプション（定期購入《ていきこうにゅう》）サービス開発《かいはつ》

- 花屋《はなや》さんで販売《はんばい》
- 栽培《さいばい》する農家《のうか》
- 品種研究《ひんしゅけんきゅう》
- フラワーコーディネーター（ブライダル、イベントなど）

- 花《はな》の本《ほん》の編集《へんしゅう》
- ガーデニングの先生《せんせい》
- 園芸用品開発《えんげいようひんかいはつ》
  - ・切花長持《きりばななが も》ち液《えき》
  - ・園芸《えんげい》シート（防草《ぼうそう》など）
  - ・殺虫剤《さっちゅうざい》
  - ・培養土《ばいようど》

この章《しょう》の案内人《あんないにん》

藤野英人《ふじのひでと》さん

楽《たの》しく仕事《しごと》をするために「好《す》きなもの」を探《さが》そう

将来《しょうらい》、あなたが楽《たの》しく仕事《しごと》をするために、**今《いま》できることは2つあります。1つは、「好《す》きなものを探《さが》す」こと。2つ目《め》は、「好《す》きなものを伸《の》ばす」ことです。**まず、好《す》きなことを探索《たんさく》する機会《きかい》を増《ふ》やしましょう。好《す》きかどうかは、やってみなければわかりません。やってみて楽《たの》しけれ

たとえば

陸上競技《りくじょうきょうぎ》に関係《かんけい》する仕事《しごと》

陸上競技《りくじょうきょうぎ》を支《ささ》える

表舞台《おもてぶたい》から縁《えん》の下《した》の力持《ちからも》ちまで、さまざまな人々《ひとびと》が協力《きょうりょく》して、みんなでアスリートを支《ささ》えています

- アスリート（選手《せんしゅ》）
- コーチ
- 選手《せんしゅ》の食事《しょくじ》の管理栄養士《かんりえいようし》
- ウェアメーカー
- シューズメーカー
- トラック用具《ようぐ》メーカー
  - ・バトン
  - ・ハードル
  - ・走《はし》り高跳《たかと》びのバー
  - ・ウレタンマット
- スポーツ用品店《ようひんてん》

- スポーツ番組制作《ばんぐみせいさく》
- スポーツ新聞社《しんぶんしゃ》
- スポーツ雑誌社《ざっししゃ》
  - ・記者《きしゃ》
  - ・編集者《へんしゅうしゃ》
  - ・カメラマン

- イベント開催《かいさい》
- 試合会場整備《しあいかいじょうせいび》
- 試合会場運営《しあいかいじょううんえい》
- 競技場《きょうぎじょう》アナウンサー
- 関連《かんれん》グッズ販売《はんばい》

ば続《つづ》けます。合《あ》わなければやめて、次《つぎ》の「好《す》き」を探《さが》せばよいのです。その「好《す》きなもの」はどんな仕事《しごと》につながっているでしょうか？

たとえば ダンス に関係《かんけい》する仕事《しごと》

観客《かんきゃく》をときめかせる

ダンサーをはじめ、舞台《ぶたい》を支《ささ》える人《ひと》たちが一体《いったい》となってすばらしい舞台《ぶたい》をつくります。

- ダンサー
- 演出家《えんしゅつか》
- 振付師《ふりつけし》
- ダンススクール講師《こうし》
- 衣装制作者《いしょうせいさくしゃ》
- メイク用品《ようひん》メーカー
- シューズメーカー

- イベント企画《きかく》・運営《うんえい》
- 照明《しょうめい》デザイナー
- 舞台装置設計者《ぶたいそうちせっけいしゃ》
- レセプショニスト
- プロダクション

- イベント広報《こうほう》・宣伝担当《せんでんたんとう》
- ダンス専門誌《せんもんし》の編集者《へんしゅうしゃ》
- ライター
- カメラマン
- デザイナー

「好《す》きなもの」を伸《の》ばしていこう

将来《しょうらい》のためには、子《こ》どものうちに好《す》きなものを伸《の》ばすことが大事《だいじ》です。今見《いまみ》つけた「好《す》き」が、大人《おとな》になって仕事《しごと》を選《えら》ぶときの種《たね》になります。

もし何《なに》かに興味《きょうみ》を持《も》ったら、親《おや》や、まわりの保護者《ほごしゃ》に話《はな》してみましょう。ときには好《す》きなだけではうまくいかず、挫折《ざせつ》しそうになるかもしれません。そういうときこそ、大人《おとな》を頼《たよ》るチャンスです。**好《す》きなことを続《つづ》けるためにはどうしたらいいか、聞《き》いてみましょう。**大人《おとな》だってかつては子《こ》ども。素敵《すてき》なアドバイスが聞《き》けるかもしれませんよ。

たとえば

本《ほん》に関係《かんけい》する仕事《しごと》

心《こころ》の糧《かて》となるお話《はなし》

ずっと心《こころ》に残《のこ》る物語《ものがたり》や、面白《おもしろ》くてためになる図鑑《ずかん》や実用書《じつようしょ》などをつくります。

- 作家《さっか》、漫画家《まんがか》
- 海外《かいがい》の本《ほん》の翻訳者《ほんやくしゃ》
- 編集者《へんしゅうしゃ》
- ライター
- 挿画家《そうがか》・イラストレーター
- カメラマン
- 装丁家《そうていか》・ブックデザイナー
- データ制作《せいさく》（ＤＴＰ《ディーティーピー》）
- 校正《こうせい》・校閲者《こうえつしゃ》

- 印刷会社社員《いんさつがいしゃしゃいん》
- 製本所社員《せいほんじょしゃいん》
- 書体設計士《しょたいせっけいし》
- 製紙会社社員《せいしがいしゃしゃいん》
- 出版取次会社社員《しゅっぱんとりつぎがいしゃしゃいん》

読《よ》むのもつくるのも！本好《ほんず》きの人《ひと》が集《あつ》まるところ

出版社《しゅっぱんしゃ》は、子《こ》どものころから物語《ものがたり》を読《よ》むのが大好《だいす》きで、本屋《ほんや》さんや学校《がっこう》の図書室《としょしつ》に入《い》りびたっているような人《ひと》が集《あつ》まる会社《かいしゃ》です。たくさんの人《ひと》たちと協力《きょうりょく》し合《あ》いながら１冊《さつ》の本《ほん》をつくるので、コミュニケーション能力《のうりょく》も大切《たいせつ》。読者《どくしゃ》に感動《かんどう》を伝《つた》え、心《こころ》の支《ささ》えになるような本《ほん》をつくるのを夢見《ゆめみ》て仕事《しごと》をしています。

- 書店員《しょてんいん》
- ネット書店員《しょてんいん》
- 図書館司書《としょかんししょ》

あなたには無限《むげん》の可能性《かのうせい》がある

広《ひろ》い世界《せかい》を無限《むげん》の可能性《かのうせい》に向《む》かって歩《ある》いていく

「菜《な》の花《はな》や月《つき》は東《ひがし》に日《ひ》は西《にし》に」——これは江戸時代《えどじだい》の俳人《はいじん》の与謝蕪村《よさぶそん》のよく知《し》られた俳句《はいく》です。

東《ひがし》から西《にし》の端《はし》まで見渡《みわた》す限《かぎ》り花々《はなばな》がいっぱいに広《ひろ》がり、風《かぜ》に揺《ゆ》れている。そんな広大《こうだい》で美《うつく》しい光景《こうけい》が目《め》に浮《う》かびます。黄色《きいろ》い菜《な》の花《はな》を、多様性《たようせい》のある花々《はなばな》に置《お》き換《か》えてイメージしてみましょう。**色《いろ》とりどりの花々《はなばな》が咲《さ》き乱《みだ》れる広《ひろ》い環境《かんきょう》をつくり、子《こ》ど**

もを連《つ》れていくのが、親《おや》や周囲《しゅうい》の大人《おとな》の仕事《しごと》です。花々《はなばな》の中《なか》に置《お》かれた子《こ》どもは、広《ひろ》い世界《せかい》の中《なか》で、無限《むげん》の可《か》能性《のうせい》に向《む》かって歩《ある》いていくのです。

子《こ》どもが自由《じゆう》に進《すす》める空間《くうかん》を開《ひら》いておく

大人《おとな》の役割《やくわり》は、子《こ》どもが進《すす》んでいきたくなる空間《くうかん》を広《ひろ》く開《ひら》いておくことです。具体的《ぐたいてき》に言《い》うと、たくさんの選択肢《せんたくし》を用意《ようい》したり、世界《せかい》の広《ひろ》さを見《み》せたりすること。そうすれば、子《こ》どもは自発的《じはつてき》な意思《いし》で、自分《じぶん》の道《みち》を選《えら》んで進《すす》んでいけるのです。

広々《ひろびろ》とした花畑《はなばたけ》の中《なか》を子《こ》どもが息《いき》切《ぎ》れせずに歩《ある》き続《つづ》けられるように、親《おや》は支《ささ》えていくのです。

自分《じぶん》で仕事《しごと》をつくる

起業《きぎょう》とは「1本《ぽん》の木《き》を植《う》えて森《もり》にする」こと

誰《だれ》かが小《ちい》さな木《き》を植《う》える
創業社長《そうぎょうしゃちょう》
だけど1本《ぽん》だけの木《き》は弱《よわ》い……
会社の木
仕事《しごと》を思《おも》いつき、最初《さいしょ》の一歩《いっぽ》を踏《ふ》みだす
会社《かいしゃ》が成長《せいちょう》
たくさんの人《ひと》に支《ささ》えてもらう

この章《しょう》の案内人《あんないにん》
「あるべき未来《みらい》の姿《すがた》」を心《こころ》に描《えが》いて起業《きぎょう》します
仲岡由麗江《なかおかゆりえ》さん

経営者《けいえいしゃ》の仕事《しごと》は、まず1本《ぽん》の木《き》を植《う》えること

会社《かいしゃ》で働《はたら》くほかに、自分《じぶん》で会社《かいしゃ》をつくって仕事《しごと》をする「起業《きぎょう》」という方法《ほうほう》もあります。**会社《かいしゃ》を立《た》ち上《あ》げる起業家《きぎょうか》は、最初《さいしょ》の1本《ぽん》の木《き》を植《う》えます。そして、その木《き》を育《そだ》てていきます。**

ありたい未来《みらい》の姿《すがた》を描《えが》き、よりよい未《み》来《らい》に向《む》けて社会《しゃかい》を前進《ぜんしん》させていく。自分《じぶん》の好《す》きなことを、人《ひと》にも喜《よろこ》んでもらうか

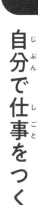

たくさんの種類《しゅるい》の
植物《しょくぶつ》＝多様性《たようせい》
成長《せいちょう》した会社《かいしゃ》
いろいろな
生《い》き物《もの》がいて
支《ささ》え合《あ》う
なにか
起《お》こったときに
耐《た》えられる
強《つよ》さがある

たちにするのです。

たくさんの生《い》き物《もの》のおかげで豊《ゆた》かになる

起業《きぎょう》に大切《たいせつ》なことは2つあります。1つ目《め》は、いろいろな人《ひと》がいる「多様性《たようせい》」があること。1種類《しゅるい》だけの森《もり》は病気《びょうき》や害虫《がいちゅう》で弱《よわ》りやすいのです。たくさんの樹種《じゅしゅ》があり、さまざまな虫《むし》や動物《どうぶつ》が共存《きょうぞん》していることで調和《ちょうわ》がとれます。トラブルが起《お》こっても支《ささ》え合《あ》って、豊《ゆた》かな森《もり》になります。**2つ目《め》は、長《なが》い期間《きかん》の「時間軸《じかんじく》」が必要《ひつよう》なこと。**木《き》の成長《せいちょう》に月日《つきひ》がかかるように、会社《かいしゃ》の発展《はってん》にも時間《じかん》がかかります。会社《かいしゃ》を動《うご》かしているのは、人《ひと》です。たくさんの人《ひと》で支《ささ》えることが、会社《かいしゃ》が成長《せいちょう》していくことにつながります。

それでは、実際《じっさい》に起業《きぎょう》した人《ひと》の話《はなし》を聞《き》いてみましょう。

家入《いえいり》一真《かずま》／連続起業家《れんぞくきぎょうか》

ひきこもりから、たくさんの会社《かいしゃ》を経営《けいえい》するまでに

中学《ちゅうがく》2年《ねん》から不登校《ふとうこう》が始《はじ》まり、高校《こうこう》1年《ねん》で中退《ちゅうたい》。家《いえ》の押《お》し入《い》れにひっそりと引《ひ》きこもる生活《せいかつ》を送《おく》ります。大学受験《だいがくじゅけん》に挑戦《ちょうせん》したけれど挫折《ざせつ》。会社《かいしゃ》に就職《しゅうしょく》してもうまくいかずに辞《や》めてしまう――。ところがその後《ご》、自分《じぶん》で会社《かいしゃ》をつくったのを皮切《かわき》りに、今《いま》では驚《おどろ》くほどたくさんの会社《かいしゃ》を経営《けいえい》する「連続起業家《れんぞくきぎょうか》」として知《し》られるようになったのです。人《ひと》と関《かか》わることができなかった家入《いえいり》さんは、どうしてたくさんの起業《きぎょう》ができたのでしょう。家入《いえいり》さんにとっての働《はたら》く意味《いみ》を伺《うかが》いました。

「こんなぼくだからこそ、やる意味《いみ》がある」

〈中学《ちゅうがく》2年《ねん》のとき、何気《なにげ》なく友《とも》だちをからかったことでクラス全員《ぜんいん》から無視《むし》されるように。1年以上《ねんいじょう》誰《だれ》とも話《はな》せなかったブランクは大《おお》きく、高校《こうこう》でも自然《しぜん》な振《ふ》る舞《ま》いができず、友《とも》だちをつくれませんでした。高校中退後《こうちゅうたいご》に大学入学資格検定《だいがくにゅうがくしかくけんてい》に合格《ごうかく》、大学入学《だいがくにゅうがく》を目指《めざ》します。〉

――なぜ起業《きぎょう》されたのですか？

家入《いえいり》　美術大学《びじゅつだいがく》に行《い》きたくて浪人《ろうにん》していたのですが、家庭《かてい》の事情《じじょう》で進学《しんがく》をあきらめて就職《しゅうしょく》しました。何回《なんかい》か転職《てんしょく》したのですがうまくいかず、どこも続《つづ》かなかったのです。それで、「自分《じぶん》で事業《じぎょう》をやって稼《かせ》いでいくしかないんだな」と思《おも》いました。

なぜそんなにたくさんの発想《はっそう》が生《う》まれるの？

失敗《しっぱい》や経験《けいけん》を深掘《ふかぼ》りし、「自分《じぶん》だからこそやる意味《いみ》のある仕事《しごと》」を考《かんが》えると必要《ひつよう》なことが見《み》えてくる。

「あの時《とき》これがあれば」
「こんなサービスがあったらいいな」を
かたちにする

つらい経験《けいけん》や過去《かこ》のできごとも、「その後《ご》どう行動《こうどう》するか」で意味《いみ》のあるものになる。

みんなと自分《じぶん》の
「居場所《いばしょ》づくり」

居場所《いばしょ》をなくして「リバ邸《てい》」で過《す》ごすうちに、新《あたら》しいことを学《まな》んで起業《きぎょう》、独立《どくりつ》する子《こ》どもたちも！

やりたいことが
あるのに
お金《かね》がない……。
くす…

応援《おうえん》の
気持《きも》ちを
集《あつ》める

きっと
できるよ
くじけないで

クラウドファンディングの
システムづくり

家入一真《いえいりかずま》さん

中学２年から不登校、高校１年で中退し引きこもりに。新聞奨学生をしながら大学を目指すが、家庭の事情で就職。22歳でpaperboy&co.（現GMOペパボ）を創業。29歳でジャスダック市場に最年少で上場。2021年フォーブスジャパン「日本の起業家ランキング2021」で第３位。著書に『15歳から、社長になれる。ぼくらの時代の起業入門』（イースト・プレス）、『こんな僕でも社長になれた』（ワニブックス）ほか。

起業《きぎょう》した会社《かいしゃ》

- **paperboy&co.（現《げん》GMOペパボ）**
  ……レンタルサーバーサイト
- **CAMPFIRE**
  ……国内最大級《こくないさいだいきゅう》のクラウドファンディングサイト
- **BASE**……スマートEC《イーシー》（無料《むりょう》ネットショップ作成《さくせい》サービス）
- **リバ邸《てい》**……現代《げんだい》の駆《か》け込《こ》み寺《でら》（シェアハウス）
- **NOW**……シードアーリーステージを中心《ちゅうしん》とした
  ベンチャーキャピタル

家《いえ》　入《いり》　毎朝《まいあさ》決《き》まった時間《じかん》に起《お》きられず、何度《なんど》か遅刻《ちこく》すると会社《かいしゃ》に行《い》きにくくなって休《やす》んでしまう。人《ひと》とのコミュニケーションも苦手《にがて》で、だんだん居場所《いばしょ》がなくなってしまったのです。

〈引《ひ》きこもりの間《あいだ》にパソコンに精通《せいつう》。勤務先《きんむさき》でウェブサイトのデザイン開発《かいはつ》に興味《きょうみ》を持《も》ったことから、22歳《さい》でレンタルサーバーを提供《ていきょう》するペーパーボーイアンドコーを創業《そうぎょう》。〉

——自分《じぶん》で起業《きぎょう》してからは、心地《ここち》よく仕事《しごと》ができるようになりましたか。

家《いえ》　入《いり》　1人《ひとり》で起業《きぎょう》してからは順調《じゅんちょう》で、だんだん社員《しゃいん》が増《ふ》えてオフィスを借《か》りるまでになりました。でも、初《はじ》めのころは向《む》き合《あ》って仕事《しごと》することができず、みんな壁側《かべがわ》に机《つくえ》を向《む》けていて。そのうち「次《つぎ》はこういうことをしようか」など少《すこ》しずつ社員《しゃいん》と会話《かいわ》するようになり、「ああ、ここが自分《じぶん》の居場所《いばしょ》になっているんだな」と感《かん》じるようになりました。

——その後《ご》、たくさんの起業《きぎょう》をされますね。そのアイディアはどこからくるのでしょう。

家《いえ》　入《いり》　いや、ぼくはむしろアイディアがないほうだと思《おも》っているし、アイディアにあまり価値《かち》を見出《みいだ》していないんです。でも、引《ひ》きこもりだったぼくは、インターネットに救《すく》われました。だから、当時《とうじ》の自分《じぶん》と同《おな》じ環境《かんきょう》にある人《ひと》たちを想像《そうぞう》し、「もし、あのころこんなサービスがあったらぼくは使《つか》っていただろう」というサービスを生《う》んだんです。するとそのサービスを使《つか》って新《あたら》しいプロジェクトを始《はじ》める人《ひと》がいた。身近《みぢか》な人《ひと》や過去《かこ》の自分《じぶん》に向《む》き合《あ》うと、自然《しぜん》と自分《じぶん》がやるべきことが生《う》まれてきます。

家《いえ》入《いり》――**過去《かこ》のつらい経験《けいけん》が、今《いま》の仕事《しごと》づくりにつながっているのですね。**

自分《じぶん》の過去《かこ》のことは、自己開示《じこかいじ》するまでに時間《じかん》がかかりました。でも、「こんなぼくだからこそやる意味《いみ》がある」と考《かんが》えれば、「過去《かこ》に起《お》こったことは、すべて起《お》こるべくして起《お》こったのだ」と、自分《じぶん》のなかで転換《てんかん》できます。それを起業《きぎょう》というかたちにするんです。

家《いえ》入《いり》――**仕事《しごと》をしていて楽《たの》しい瞬間《しゅんかん》はいつですか？**

新《あたら》しいサービスや機能《きのう》をリリースする瞬間《しゅんかん》です。みんなで徹夜《てつや》して開発《かいはつ》し、ユーザーから反応《はんのう》がくる瞬間《しゅんかん》は、一度体験《いちどたいけん》すると病《や》みつきになります。大変《たいへん》ですが、それを上回《うわまわ》る喜《よろこ》びや楽《たの》しさがありますね。

家《いえ》入《いり》――**子《こ》どもたちにメッセージをお願《ねが》いします。**

自分《じぶん》の生活《せいかつ》やニュースなど、一《ひと》つひとつに「何《なん》でこうなんだろう？」「ほんとにそうなのか」と問《と》い続《つづ》けてほしい。「こうでなければならない」と思《おも》い込《こ》んで、自分《じぶん》の選択肢《せんたくし》を狭《せば》めないように。問《と》い続《つづ》けて、自分《じぶん》なりの答《こた》えや想像《そうぞう》を広《ひろ》げていくのです。人間《にんげん》の持《も》つ最大《さいだい》の力《ちから》は、「問《と》う力《ちから》」と「想像力《そうぞうりょく》」です。そこを広《ひろ》げていってもらいたいと思《おも》います。

田中仁《たなかひとし》／JINS《ジンズ》創業者《そうぎょうしゃ》

「よく見《み》える」から「眼《め》を守《まも》る」メガネに

ブルーライトから眼《め》を守《まも》るメガネ、顔《かお》の血色《けっしょく》を高《たか》めるレンズなど新《あたら》しいスタイル。何《なに》より安《やす》くてかっこいい。だから何本《なんぼん》も買《か》って、ファッションにあわせてつけ替《か》えるのが楽《たの》しい。アイウエアブランド「JINS《ジンズ》」は、メガネに視力矯正《しりょくきょうせい》だけでなく「眼《め》を守《まも》る」「よく魅《み》せる」機能《きのう》を加《くわ》えて、「視力《しりょく》のよい人《ひと》でもメガネをかける」と人々《ひとびと》の意識《いしき》を変《か》え、購買層《こうばいそう》をグッと広《ひろ》げました。JINS《ジンズ》は日本国内《にほんこくない》478店舗《てんぽ》のほか、中国《ちゅうごく》、台湾《タイワン》、香港《ホンコン》、アメリカ、フィリピンに計《けい》252もの店舗《てんぽ》を展開《てんかい》しています（2023年《ねん》10月現在《がつげんざい》）。

「眼《め》がよい人《ひと》もメガネを必要《ひつよう》とする」と気《き》づいたのは、JINS《ジンズ》を創業《そうぎょう》した田中仁《たなかひとし》さんです。JINS《ジンズ》の歩《あゆ》みを振《ふ》り返《かえ》りつつ、起業《きぎょう》に大切《たいせつ》なことを伺《うかが》いました。

心《こころ》からやりたいと思《おも》うことを見《み》つけて、本気《ほんき》で取《と》り組《く》む

――どんな子《こ》どもでしたか。

田中《たなか》 とくに取《と》り柄《え》のない、だけどやんちゃな子《こ》どもだったかもしれません。勉強《べんきょう》をしろと言《い》われたら逆《ぎゃく》にやりたくない。でも自分《じぶん》の好《す》きなクワガタムシやカブトムシを捕《と》りに行《い》くときは、朝《あさ》が苦手《にがて》なはずなのに起《お》こされなくとも早起《はやお》き。自分《じぶん》が好《す》きなことなので、昆虫《こんちゅう》のいる場所《ばしょ》を効率的《こうりつてき》に回《まわ》るルートを考《かんが》えることができました。母《はは》はやりたいことをやらせてくれました。放任主義《ほうにんしゅぎ》だったようです。

Magnify Life

人々《ひとびと》の人生《じんせい》を豊《ゆた》かにする

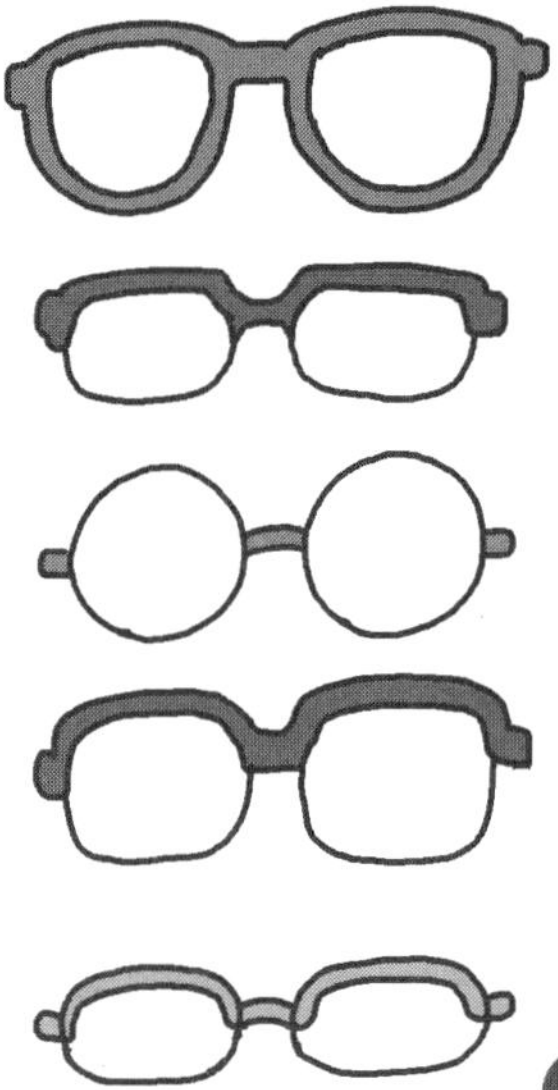

田中仁《たなかひとし》さん

1963年群馬県に生まれる。1988年有限会社ジェイアイエヌ（現：株式会社ジンズホールディングス）を設立し、2001年アイウエア事業「JINS」を開始。2013年東京証券取引所第一部に上場。2014年群馬県の地域活性化支援のため「田中仁財団」を設立し、起業家支援プロジェクト「群馬イノベーションアワード」「群馬イノベーションスクール」を開始。現在は前橋市中心街の活性化にも携わっている。

安《やす》い

6600円《えん》から買《か》えて
いろいろなデザインの
メガネを何本《なんぼん》も
楽《たの》しめる

矯正《きょうせい》

最短《さいたん》30分《ぷん》で
よく見《み》えるメガネを
すぐに提供《ていきょう》

眼《め》を守《まも》る

さまざまな外的要因《がいてきよういん》から眼《め》を守《まも》る
- 紫外線《しがいせん》をカット
- 花粉《かふん》から守《まも》る
- 乾燥《かんそう》から守《まも》る
- パソコン・スマートフォンから出《で》る
  ブルーライトをカット

おしゃれ

よく魅《み》せる
- 顔《かお》の血色《けっしょく》を高《たか》めるレンズ

ヘルスケア

眼球《がんきゅう》の動《うご》きによって生《しょう》じる
微細《びさい》な電位差《でんいさ》を読《よ》み取《と》って、
自分《じぶん》の内側《うちがわ》の情報《じょうほう》を見《み》る
- 集中度《しゅうちゅうど》や姿勢《しせい》の測定《そくてい》
- 運転中《うんてんちゅう》の眠気《ねむけ》の測定《そくてい》
- ランニングフォームの可視化《かしか》

――やりたいことがあると、すごく集中《しゅうちゅう》する子《こ》だったのですね。

田《た》中《なか》　人《ひと》は誰《だれ》もがそういうものだと思《おも》います。ですから子《こ》どものときは、何《なに》が好《す》きなのかを知《し》るためにもたくさんの経験《けいけん》をすることが大切《たいせつ》だと思《おも》います。

――なぜ、起業《きぎょう》しようと思《おも》われたのですか？

田《た》中《なか》　両親《りょうしん》が商売《しょうばい》をしていた影響《えいきょう》はあるかもしれません。しかし、それ以上《いじょう》に好《す》きなことを自分自身《じぶんじしん》でつくり出《だ》したいという漠然《ばくぜん》とした思《おも》いがありました。

〈やがて田中《たなか》さんは勤《つと》めていた会社《かいしゃ》を辞《や》め、24歳《さい》のときに起業《きぎょう》。翌《よく》1988年《ねん》に有限会社《ゆうげんがいしゃ》ジェイアイエヌ（現在《げんざい》の株式会社《かぶしきがいしゃ》ジンズホールディングス）を設立《せつりつ》して雑貨《ざっか》を製造販売《せいぞうはんばい》し、2001年《ねん》にアイウエア事業《じぎょう》JINS《ジンズ》を始《はじ》めました。メガネを扱《あつか》うようになったきっかけは、日本《にほん》で3万円《まんえん》するメガネが、韓国《かんこく》で3000円《えん》で売《う》られていたこと。それほど安《やす》いなら日本《にほん》でも売《う》れるに違《ちが》いない、とピンときたのです。予感《よかん》は見事《みごと》に的中《てきちゅう》しました。〉

――起業《きぎょう》するために必要《ひつよう》なことは何《なん》ですか？

田《た》中《なか》　強烈《きょうれつ》な想《おも》いです。誰《だれ》がなんと言《い》おうと〝これをやりたい〟と思《おも》えるものがあるかどうかです。多《おお》くの人《ひと》が気《き》づかないけれど自分《じぶん》には見《み》えるということが最初《さいしょ》の一歩《いっぽ》になるでしょう。

――失敗《しっぱい》したらどうしよう、と心配《しんぱい》にはなりませんか。

田中《たなか》　もちろん不安《ふあん》で怖《こわ》いです。しかし、事業《じぎょう》を起《お》こすということは、そのような不安《ふあん》を乗《の》り越《こ》え一歩《いっぽ》踏《ふ》み出《だ》せるかどうかです。その覚悟《かくご》がない人《ひと》には務《つと》まりません。そして、やること全《すべ》てが成功《せいこう》したという人《ひと》もいません。日本《にほん》を代表《だいひょう》するような大企業《だいきぎょう》でも、初《はじ》めは創業者《そうぎょうしゃ》（起業家《きぎょうか》）の小《ちい》さな一歩《いっぽ》から始《はじ》まっています。そしてほとんどの起業家《きぎょうか》は失敗《しっぱい》から多《おお》くを学《まな》び、成長《せいちょう》に結《むす》びつけています。

――「チャンスと思《おも》ったら、フルスイングだ！」とおっしゃっています。

田中《たなか》　何事《なにごと》も中途半端《ちゅうとはんぱ》に行動《こうどう》すると学《まな》びがありません。フルスイング＝真剣勝負《しんけんしょうぶ》です。負《ま》けたら後《あと》がないという覚悟《かくご》で挑戦《ちょうせん》すると、その人《ひと》が持《も》っている潜在能力《せんざいのうりょく》が発揮《はっき》されるものなのです。ところが中途半端《ちゅうとはんぱ》に取《と》り組《く》むと学《まな》びもなく、潜在能力《せんざいのうりょく》を開花《かいか》させることもできません。

――子《こ》どもたちにアドバイスをお願《ねが》いします。

田中《たなか》　自分《じぶん》の「好《す》き」を見《み》つけてください。もちろん誰《だれ》もがすぐに見《み》つけられるものではありません。だからこそ多《おお》くの経験《けいけん》をしてほしいと思《おも》います。世《よ》の中《なか》は広《ひろ》く、身《み》のまわりでも知《し》らないことばかりです。誰《だれ》もが知《し》らないことのほうが圧倒的《あっとうてき》に多《おお》いのです。少《すこ》しでも、社会《しゃかい》を知《し》ること、人《ひと》を知《し》ることを心《こころ》がければ、いつの日《ひ》か興味《きょうみ》のあることを見《み》つけられるかもしれません。そして好《す》きなことが、他人《たにん》や社会《しゃかい》に役立《やくだ》つものであることが大切《たいせつ》です。

「つくりたい未来《みらい》」を作品《さくひん》で示《しめ》す

東京《とうきょう》2020オリンピックのメイン会場《かいじょう》となった国立競技場《こくりつきょうぎじょう》、テレビコマーシャルの舞台《ぶたい》となった竹《たけ》の家《いえ》――。隈研吾《くまけんご》さんが設計《せっけい》に携《たずさ》わった建築《けんちく》は、木《き》のぬくもりを感《かん》じます。人《ひと》の心《こころ》やまわりの風景《ふうけい》との調和《ちょうわ》を大切《たいせつ》にした作品《さくひん》は、海外《かいがい》からも高《たか》く評価《ひょうか》され、現在《げんざい》、世界《せかい》の40を超《こ》える国々《くにぐに》でプロジェクトが進行《しんこう》しています。まさに、引《ひ》っ張《ば》りだこの建築家《けんちくか》なのです。

東京大学大学院建築学科《とうきょうだいがくだいがくいんけんちくがっか》を修了《しゅうりょう》し、大《おお》きな設計事務所《せっけいじむしょ》と総合建設会社《そうごうけんせつがいしゃ》で6年間働《ねんかんはたら》いたあとで、自分《じぶん》の設計事務所《せっけいじむしょ》を設立《せつりつ》。独立《どくりつ》して自分《じぶん》の名前《なまえ》で仕事《しごと》を受《う》けるようになりました。

隈《くま》さんが建築家《けんちくか》を目指《めざ》したのは、ちょうど皆《みな》さんと同《おな》じ年《とし》ごろだったそうです。子《こ》どものころにどのような経験《けいけん》をされたのか、お話《はなし》を伺《うかが》いました。

自分《じぶん》で何《なに》かをしない限《かぎ》り、誰《だれ》も何《なに》もしてくれない

――子《こ》どものころ、今《いま》の仕事《しごと》につながるような経験《けいけん》をされましたか。

隈《くま》　1964年《ねん》、小学《しょうがく》4年生《ねんせい》のときに東京《とうきょう》オリンピックが開催《かいさい》。父親《ちちおや》に連《つ》れられて国立代々木競技場《こくりつよよぎきょうぎじょう》を見《み》に行《い》くと、あまりにもカッコよくて驚《おどろ》きました。高《たか》さのある外観《がいかん》はもちろんのこと、内部《ないぶ》がすばらしい。まるで天井《てんじょう》から神様《かみさま》が光《ひかり》を降《ふ》らしているようなのです。父《ちち》に「こういう建物《たてもの》は誰《だれ》がつくるの？」と尋《たず》ねると、「建築家《けんちくか》だよ。これは丹下健三《たんげけんぞう》という建築家《けんちくか》が設計《せっけい》したんだ」と。私《わたし》

東京《とうきょう》 2020 オリンピックメイン会場《かいじょう》の国立競技場《こくりつきょうぎじょう》（2019 年《ねん》）

「竹《たけ》の家《いえ》」（中国《ちゅうごく》・万里《ばんり》の長城近《ちょうじょうちか》く）
テレビコマーシャルにも登場《とうじょう》した美《うつく》しい自然《しぜん》とみごとに調和《ちょうわ》したホテル。隈《くま》さんが世界的《せかいてき》に知《し》られるようになった作品《さくひん》（2002 年《ねん》）

© J.C. Carbonne

隈研吾《くまけんご》さん

1954 年生まれ。1990 年、隈研吾建築都市設計事務所設立。慶應義塾大学教授、東京大学教授を経て、現在、東京大学特別教授・名誉教授。40 を超える国々でプロジェクトが進行中。自然と技術と人間の新しい関係を切り開く建築を提案。主な著書に『日本の建築』（岩波新書）、『全仕事』（大和書房）、『点・線・面』（岩波書店）、『負ける建築』（岩波書店）、『自然な建築』、『小さな建築』（岩波新書）、他多数。

は「将来《しょうらい》、建築家《けんちくか》になりたい」と思《おも》うようになりました。
〈東京《とうきょう》オリンピックの開催《かいさい》に備《そな》えて代々木国立競技場第一体育館《よよぎこくりつきょうぎじょうだいいちたいいくかん》、第二《だい》体育館《たいいくかん》が建設《けんせつ》されました。やがて50年《ねん》あまりの年月《ねんげつ》を経《へ》て、隈《くま》さんは東京《とうきょう》オリンピックのメイン会場《かいじょう》である国立競技場《こくりつきょうぎじょう》の設計《せっけい》を依頼《いらい》されることになったのです。まわりの景観《けいかん》になじむ木材《もくざい》をデザインの主役《しゅやく》とし、あたたかさの感《かん》じられる競技場《きょうぎじょう》となりました。〉

――学校《がっこう》で学《まな》んだことで、これは重要《じゅうよう》だと思《おも》われたことはありますか。

隈《くま》　学校《がっこう》で評価《ひょうか》されるのは学校《がっこう》が定《さだ》める基準《きじゅん》に合《あ》っているかですが、建築《けんちく》の世界《せかい》では、人《ひと》と同《おな》じ提案《ていあん》をしていたら評価《ひょうか》されません。スタンダードというものはないのです。さらに私《わたし》にとって転機《てんき》になったのは、大学院《だいがくいん》の原広司先生《はらひろしせんせい》がまったく何《なに》もしてくれない人《ひと》だったことです。研究室《けんきゅうしつ》に行《い》っても誰《だれ》もいない。論文《ろんぶん》を書《か》けとも言《い》われない。そのとき「自分《じぶん》で何《なに》かをやらない限《かぎ》り、誰《だれ》も何《なに》もしてくれない」と気《き》づいたんです。これは人生《じんせい》で一番重要《いちばんじゅうよう》なことでした。それを教《おし》えてくれた原先生《はらせんせい》には、今《いま》でも感謝《かんしゃ》しています。

〈隈《くま》さんは、自分《じぶん》から原先生《はらせんせい》にアフリカの調査旅行《ちょうさりょこう》を提案《ていあん》。『ドリトル先生《せんせい》アフリカゆき』や文化人類学《ぶんかじんるいがく》者《しゃ》の梅棹忠夫《うめさおただお》の本《ほん》を愛読《あいどく》していて、アフリカへの憧《あこが》れがあったのです。提案《ていあん》は受《う》け入《い》れられ、原研究室《はらけんきゅうしつ》の人々《ひとびと》とアフリカの集落《しゅうらく》の調査《ちょうさ》に出《で》かけました。調査費用《ちょうさひよう》を捻出《ねんしゅつ》するために企業《きぎょう》を回《まわ》って説得《せっとく》した体験《たいけん》も、のちに建築家《けんちくか》になってから役立《やくだ》ちました。〉

——子《こ》どもたちが、今《いま》、やっておいたほうがいいことはありますか。

隈《くま》　旅《たび》をすることです。思《おも》い切《き》って自分《じぶん》の生活《せいかつ》の場所《ばしょ》を離《はな》れて、違《ちが》う場所《ばしょ》に飛《と》び込《こ》む。その面白《おもしろ》さを知《し》ると、とても成長《せいちょう》します。私《わたし》は小学生《しょうがくせい》のころには、山《やま》の中《なか》にも海《うみ》ぎわにも親戚《しんせき》の家《いえ》があったので、長《なが》い休《やす》みのときには1人《ひとり》で行《い》き、お世話《せわ》になっている家《いえ》の人《ひと》からじかに話《はなし》を聞《き》くのがすごく面白《おもしろ》かった。人《ひと》の話《はなし》を直接《ちょくせつ》聞《き》くことは、今《いま》もとても大切《たいせつ》にしています。海外《かいがい》で仕事《しごと》をするときも、職人《しょくにん》さんたちと話《はな》していると「すごいなぁ、そんなことができるんだ」と、その国《くに》の人《ひと》たちを好《す》きになる。相手《あいて》を尊敬《そんけい》する気持《きも》ちが、よい仕事《しごと》につながります。

——これからどんな仕事《しごと》をしていきたいですか。

隈《くま》　社会《しゃかい》の仕組《しく》みがダイナミックに変《か》わる時代《じだい》が来《く》ると思《おも》います。都市《とし》がオフィスビルばかりになり、郊外《こうがい》に帰《かえ》るというスタイルでは人間《にんげん》の居場所《いばしょ》がなくなってしまう。もう一度《いちど》、田舎《いなか》を中心《ちゅうしん》として人間《にんげん》の生活《せいかつ》を組《く》み立《た》て直《なお》すことをやりたいですね。

〈隈《くま》さんの作品《さくひん》には、「どんな未来《みらい》をつくりたいか」が表《あらわ》れています。風景《ふうけい》の一部《いちぶ》としての建築《けんちく》からは、人《ひと》がどう生《い》きていったらいいのかを考《かんが》えさせられます。〉

——子《こ》どもたちに伝《つた》えたい想《おも》いがありますか。

隈《くま》　自由《じゆう》になってほしいですね。少《すこ》しくらい外《はず》れたっていい。もっと自由《じゆう》に考《かんが》えていいんですよ。

最終話《さいしゅうわ》
お金《かね》から広《ひろ》がるセカイ
パタン
投資家と考える10歳からの
……
…俺《おれ》大人《おとな》になっても
サッカーに関《かか》わることができるんだ
俺《おれ》の働《はたら》きのおかげもあって日本《にほん》が世界一《せかいいち》になったりして
優勝!!
WC
俺

それを見《み》た人《ひと》が
憧《あこが》れて 有名《ゆうめい》な選手《せんしゅ》に
なったりして…
日本優勝！
サッカーがもっと
人気《にんき》になって
サッカー用品《ようひん》が
めちゃくちゃ
売《う》れたりして…
ドドドド
全部《ぜんぶ》が
つながって
るんだ
お金《かね》を使《つか》うこと
経済《けいざい》を回《まわ》すこと
社会《しゃかい》の一員《いちいん》になること

お金《かね》のこと知《し》れて
よかったよ 俺《おれ》
おばあちゃん
ありがとう

15年後《ねんご》
2039年《ねん》
朝の瀬橋公園
ユウヤ まだ悩《なや》んでるの?
うん… 限定《げんてい》のボール ほしいけど これまだ使《つか》えるしなぁ…
ユウヤがゴールした記念《きねん》にあげたお金《かね》なんだから好《す》きに使《つか》っていいのよ?
でもお金使《かねつか》うのもったいないじゃん
うぅ～ん…
考《かんが》えるのは大切《たいせつ》よね
でもお金《かね》って使《つか》っても消《き》えてなくなるわけじゃないのよ
え?
お金《かね》っていうのはね——

2024年度
みんなで植樹事業
ケヤキ（ニレ科）
すくすく育ちますように
おばあちゃん　ありがとう
相澤　学
Staff
募金箱
マルタ
宅急便
へぇ〜！
お金《かね》を使《つか》うことでぼくたちはいろんな人《ひと》たちとつながっているんだね
そうね 遠《とお》く離《はな》れた人《ひと》ともつながっている
そしてお金《かね》を使《つか》うのはこれから先《さき》の未来《みらい》につなげるためでもあるのよ
……未来《みらい》……

…………
ねぇ
お母《かあ》さん
ぼく限定《げんてい》のボールがほしい
それでいっぱい練習《れんしゅう》してサッカー選手《せんしゅ》になりたい
それじゃああとでスポーツショップ行《い》こっか
うん！
未来《みらい》か…
もしもし？
おい学《がく》？大丈夫《だいじょうぶ》か？

はっ
あぁ ごめん 父《とう》さん 大丈夫《だいじょうぶ》… えっと なんだっけ
おいおい お前《まえ》が食事《しょくじ》に 誘《さそ》ってくれたんだろ
でもお前《まえ》も 忙《いそが》しいんじゃ ないのか？
ほら前《まえ》 言《い》ってただろ？ 企画《きかく》が 通《とお》ったって
あぁ うん
キーパーの グローブ…
そう ボールが 吸《す》い付《つ》く みたいなやつ
うん がんばってるよ
初《はじ》めて 通《とお》った 企画《きかく》だから…
コロ…
ちょっと ごめん 父《とう》さん

トン
2024年度
みんなで植樹事業
ケヤキ（ニレ科）
すくすく育ちますように
おばあちゃん　ありがとう
相澤　学

レオス・キャピタルワークス株式会社《かぶしきがいしゃ》
ひふみ金融経済教育《きんゆうけいざいきょういく》ラボ

2003年に創業された資産運用会社レオス・キャピタルワークス株式会社の、金融経済教育プロジェクトチーム。レオス・キャピタルワークスは「資本市場を通じて社会に貢献します」という経営理念のもと、金融の恩恵を世の中のすみずみまで届ける「ファイナンシャル・インクルージョン(金融包摂)」によってゆたかな社会の実現を目指している。

●参考文献

P50 ～ P63「キッズ：ぞうへいきょく探検隊」造幣局ホームページ、国立印刷局ホームページ、『ともに学ぶ人間の歴史』(株) 学び舎、『日本史資料集』みくに出版／ P130 ～ P131『わたしらしくCジャンプ！』講談社

● Special Thanks
韋 珊珊さん
小野 頌太郎さん
多田 憲介さん

投資家《とうしか》と考《かんが》える10歳《さい》からのお金《かね》の話《はなし》

2024年2月20日　第1刷発行
2024年11月18日　第2刷発行

著　レオス・キャピタルワークス株式会社《かぶしきがいしゃ》
　　ひふみ金融経済教育《きんゆうけいざいきょういく》ラボ

表紙イラスト／マンガ　遠田おと
イラスト　伊藤和人（seesaw.）
編集協力　高木香織
装丁デザイン　岡本歌織（next door design）
本文デザイン　脇田明日香
発行者　安永尚人
発行所　株式会社講談社
〒112-8001 東京都文京区音羽 2-12-21
電　話　編集 03-5395-3535
販売 03-5395-3625
業務 03-5395-3615
印刷所　共同印刷株式会社
製本所　大口製本印刷株式会社

KODANSHA

N.D.C.337 159p 19cm ©Rheos Capital Works Inc. 2024
Printed in Japan ISBN978-4-06-534516-0